Wenn Räume erwachen

Brigitte Gärtner

Wenn Räume erwachen

Erleben Sie die wunderbare Verzauberung Ihrer Wohnwelt
durch die chinesische Harmonielehre Feng Shui

WINDPFERD

1. Auflage 1997
© 1997 by Windpferd Verlagsgesellschaft mbH, Aitrang
Alle Rechte vorbehalten
Umschlaggestaltung: Kuhn Grafik, Digitales Design, Zürich, unter
Verwendung des Fotos „Black Dragon Pond with Jade Dragon Snow Mountain,
Lijiang/Yunnan, photo by L.A. Matzing/Diethelm Travel.
Der Verlag dankt für die freundliche Genehmigung.
Lektorat: Roland Rottenfußer
Layout/Satz: *panta rhei!* – MediaService, Uwe Hiltmann, Niedernhausen/Ts. und
Schneelöwe, Aitrang
Bildbearbeitung: Schneelöwe Verlagsberatung und Verlag, Aitrang
Herstellung: Schneelöwe, 87648 Aitrang

ISBN 3-89385-220-4

Printed in Germany

Inhaltsverzeichnis

Was ist Feng Shui, und was können Sie damit erreichen?	9
Was Feng Shui so spannend macht	11
Abwarten oder Handeln? – Ein paar Worte zum Buch	13
„Wen um alles in der Welt hast du zu uns nach Hause bestellt?"	13
Yin und Yang	14

Teil 1 – Die fließenden Energien | 19

Der Fluß der Energie	20
Von guten und schlechten Energien	20
Der Aufbau und das Training von Chi	22
Eins und eins gleich Chi	23
Der Mensch und sein Chi	23
Feng Shui und Chi	24
Sha – die Zerstörungskraft	25
Die Erscheinungsformen von Sha	26
Drachenadern und Geisterpfade	33
Wie die Energie ins Innere des Gebäudes gelangt	35
Sha im Inneren des Hauses	35
Wenn ein Haus erzählen könnte ...	37
Ihr persönlicher Chi-Test	39
Auswertung des Chi-Tests	44

Teil 2 – Nun lassen wir die Räume erwachen | 45

Das Wohnhaus	45
Der Eingang	45
Der Vorbau	46
Türen und Fenster	47
Treppen, Galerien und Decken	48
Das Wohnzimmer	50
Die Küche	51
Das Bad	52
Das Schlafzimmer	53
Das Kinderzimmer	55
Das Büro zu Hause oder der Schreibtisch am Arbeitsplatz	57
Verlassene Zimmer, Abstellräume, Keller und Garagen	58
Spiegel	59
Der Pa-Kua-Spiegel	63
Farben	64
Sying und Yi	66
Regenbogen-Kristalle	75

Windglockenspiele	77
Feng-Shui-Musik	80
Fotos	86
Bilder	87
Vorhänge	88
Souvenirs, Nippes und Staubfänger	88
Waffen	89
Tiere im Feng Shui	90
Pflanzen und Blumen im Feng Shui	91
Lebensmittel im Feng Shui	93
Chinesische Glückssymbole	95
Eine Leiter, die von der Erde in den Himmel führt	99
Ein Kapitel für Geschäfte und Firmen	101

Teil 3 – Die 5 Tiere — 105

Der Drache	108
Der Tiger	109
Die Schildkröte	110
Der Phönix	110
Die Schlange	112
Die 5 Tiere und die Wohnungseinrichtung	113

Teil 4 – Das Pa-Kua — 115

Das Pa-Kua als Schablone des Lebens	117
Gua (Sektor) 1: Karriere	122
Gua (Sektor) 2: Partnerschaft	123
Gua (Sektor) 3: Familie	125
Gua (Sektor) 4: Reichtum	126
Gua (Sektor) 5: Die Mitte	128
Gua (Sektor) 6: Freunde	129
Gua (Sektor) 7: Kinder	131
Gua (Sektor) 8: Wissen	132
Gua (Sektor) 9: Ruhm	134
Spezielle Hinweise, die für alle Sektoren Gültigkeit haben	135
Wie im Großen, so im Kleinen – und im ganz Großen	137
Das Pa-Kua der Geschäfte	139
Die Wahl des Gebäudes	143

Teil 5 – Die 5 Elemente — 145

Die 5 chinesischen Elemente	145
Die Verbindung (Zyklen) der 5 Elemente	146
Der schöpferische Zyklus	147

Der zerstörerische Zyklus	148
Die 5 Elemente und Feng Shui	148
Die kleine Meditation der 5 Elemente	149
Das Element Holz	151
Das Element Feuer	155
Das Element Erde	159
Das Element Metall	163
Das Element Wasser	167
Ihre Wohnlage und Ihr Wohnhaus	171
Die 25 Grundvarianten der Elemente	173

Teil 6 – Ihre persönliche Standortbestimmung   189

Der Himmelsfaktor	190
Ihr persönliches Feng-Shui-Element	191
Sie und Ihr Haus	194
Die 5 Elemente und die Gesundheit	198
Schlußwort	200
Was immer Sie tun ...	200
... und was immer Sie jetzt auch lassen möchten ...	200
Über die Autorin	202
Adressen und Bezugsquellen	203

Wind und Wasser

Was ist Feng Shui,
und was können Sie damit erreichen?

„Feng Shui" bedeutet wörtlich übersetzt *Wind und Wasser.*
Weder den Wind im Himmel noch das Wasser auf Erden können
wir weder greifen noch festhalten. Beide befinden sich immer und
jederzeit in stetiger Veränderung. Sie haben keine konstante Form
und passen sich stets den jeweils neuen Gegebenheiten an. Auch
wir Menschen unterliegen in unserem Leben einem Prozeß stetiger Veränderung, wenn dieser auch nicht so schnell vonstatten geht
wie bei Wind und Wasser. Doch am Ende gibt es nichts in der
materiellen Natur, das für die Ewigkeit geschaffen ist: Selbst unsere Landschaft und die Form der Gebirge verändern sich, wenn
auch noch um einiges langsamer.

Die Chinesen haben viele Ihrer großen Lehren aus dem Beobachten der Natur, der Menschen sowie aus dem Zusammenspiel
der beiden entwickelt. Insbesondere jene grundlegendste aller
Wahrheiten: daß alles im Wandel ist, sich zu einem Kreislauf formt
und jedes Ende gleichzeitig zu einem Anfang wird. Ferner, daß zu
jedem Phänomen auf Erden ein gegensätzliches Prinzip existiert,
und daß jedes Ding, jedes Wesen, jedes Element sein Gegenstück
bereits in sich trägt.

Die Lehre des Feng Shui verbindet sehr viele Wissensgebiete
miteinander: Wissen aus dem I Ging (dem Buch der Wandlungen),
die Lehre der 5 Elemente, die Lehre von Yin und Yang, die chinesische Astrologie sowie das Wissens um das Chi (auch: Qi), die
Lebenskraft, die alles und jeden durchströmt. Doch wie alle großen Lehren, die über Hunderte, oder gar Tausende von Jahre bestehen, hat auch das Feng Shui die Erkenntnisse der neueren Zeit
mit einbezogen, und so sind heute auch die Farben- und Formenlehre, die Baubiologie, die Geologie, die Geomantie und vieles mehr
ein Teil von Feng Shui.

Wenn Sie sich nun auf das große Abenteuer Feng Shui einlas-
sen, stehen Sie, ganz ehrlich gesagt, einem riesigen Berg an Wissen gegenüber. Einem Berg, der so hoch ist, daß man am liebsten
wieder kehrt machen und sich einen passenden Hügel suchen
möchte, den man in einem Tag erklimmen kann.

Da stellt sich natürlich die berechtigte Frage, wofür denn Feng
Shui eigentlich gut ist, und ob es wirklich all dieses Wissens bedarf, um Feng Shui im Alltagsleben nützen zu können.

Feng Shui dient dem Leben in Harmonie, und zwar in jeder Beziehung. Ob Sie nun ihren inneren Frieden finden möchten, indem Sie in ihren 4 Wänden, im Kreis Ihrer Familie vollends aufgehen können, ob Sie nach Reichtum und Erfolg streben und ihn auch erlangen, ob Sie Ihre eigene Lebenskraft verstärken und sich dabei weiterentwickeln möchten, oder ob Sie nach geistigen Zielen streben, Feng Shui unterliegt keinen Einschränkungen, was Ziele oder Ambitionen betreffen. Im Feng Shui geht es darum, daß Sie Ihre Persönlichkeit, den Standort Ihres Heims oder Geschäftes und Ihre räumliche Umgebung für sich selbst optimal zur Geltung und zur Vollendung bringen können, daß Ihre Einrichtung Ihre persönlichen Bedürfnisse und Ziele unterstützt und Sie in Harmonie mit sich und ihrer Umwelt leben können.

Was nun das gesamte, riesige Gebiet von Feng Shui betrifft, so gibt es Bereiche, die für *alle* Anwender elementar sind und Teile, die uns moderne *Europäer* ganz speziell interessieren. Aus diesem Grund habe ich mich in diesem Buch auch auf genau diese Bereiche „spezialisiert". Was ich Ihnen mitgeben möchte, ist zum einen die Basis, das Grundverständnis. Ich möchte, daß Sie verstehen, warum Sie etwas Ihrer räumlichen Umgebung verändern, wie die Energien fließen, und warum ein bestimmter Gegenstand Ihnen zu Ihrem Wohlbefinden helfen kann. Ich habe das ganze Buch so aufgebaut, daß zu der bestehenden Situation auch immer der passende Vorschlag für eine Verbesserung beigefügt ist, und zwar so, daß Sie es problemlos nachvollziehen können.

Ganz bewußt habe ich weite Bereiche weggelassen oder nur gestreift. Es ist nicht mein Ziel, Sie mit einem Füllhorn von Theorie zu überschütten, bis Sie das Buch in die Ecke stellen. Es gibt Bereiche im Feng Shui, die für den Laien einfach zu kompliziert sind. Dies ist eine Tatsache und keine Unterstellung, das würde ich mir nicht gestatten. Ich möchte Ihnen einfach nur ein großes Stück Wissen mit auf den Weg geben, aber nicht so schwer, daß Sie darunter zusammenbrechen, und so ansprechend verpackt, daß Sie es auch gerne mitnehmen.

Übrigens: wer ein Ziel hat, findet auch den Weg dorthin!

Was Feng Shui so spannend macht

Die Wissenschaft geht den Rätseln der Menschheit nach, sie ist auf Spurensuche nach den tieferen Beweggründen unseres Verhaltens und versucht zu erklären, warum wir Menschen immer wieder gewissen gleichbleibenden Abläufen folgen, was hinter unseren „menschlich-logischen" Handlungen steckt und warum Menschen auf der ganzen Welt nach den gleichen, ungeschriebenen Gesetzen handeln.

Viele dieser Antworten sind schon gefunden worden, zum Teil vor langer Zeit, zum Teil erst kürzlich. Doch nicht nur die Wissenschaft ist diesen Fragen nachgegangen, auch die großen Religionen, die Philosophen, sie alle haben nach diesen Antworten gesucht.

Aus der Politik kennen wir alle den Begriff der Demokratie, was bedeutet daß die Mehrheit bestimmt. Unsere Wissenschaft ist nicht demokratisch, denn es genügt ihr nicht, daß bei einem Experiment die Mehrzahl der Ergebnisse gleichbleibend ist, *alle* Resultate müssen gleich sein, das Experiment beliebig oft mit den selben Ergebnissen wiederholbar. Anders die alten chinesischen Lehren: Sie basieren auf dem Beobachten der Natur und der Menschen. Wenn 7 von 10 Personen gleichartig auf eine Situation reagierten, so verdiente diese Mehrheit Beachtung, die Minderheit Interesse. So entstanden Grundprinzipien, gültig für die jeweilige Mehrheit. Eine sehr sanfte Methode, die durch neue Beobachtungen und Erkenntnisse ergänzt, erweitert und entwickelt werden konnte.

Dazu möchte ich Ihnen ein Beispiel erzählen: 9 von 10 Müttern halten das Baby im linken Arm, ob in Europa oder China, das Verhalten ist überall gleich.

Die westlichen Wissenschaftler sind lange Zeit davon ausgegangen, daß der Grund darin bestünde, daß die meisten Frauen Rechtshänder sind. Doch auch die Linkshänderinnen haben ihr Baby in den linken Arm genommen. Somit war diese These widerlegt und die Wissenschaft stand wieder ganz am Anfang.

In China wurde, wen wundert's, das Gleiche beobachtet und dabei zusätzlich festgestellt, daß eine Mischung aus Sicherheit und Harmonie entstand, wenn Mütter das Baby im linken Arm hielten. Wenn nun also kleine Kinder ein Gefühl von Sicherheit verspürten, wenn sie hinter sich und auf der linken Seite einen Schutz spürten, wieso sollte das für uns „große Kinder", die Erwachsenen, nicht immer noch Gültigkeit haben?

Noch heute finden wir im Feng Shui diese Erkenntnis. Sie erzählt von den 5 Tieren, die unser Schutz- und Raumbedürfnis gliedern, hinter uns die Stabilität, verkörpert durch die Schildkröte mit ihrem Panzer, links von uns der große, starke Drache, der uns Sicherheit gibt.

Wenn sich 9 von 10 Menschen spontan wohl fühlen, wenn sie hinter sich eine Wand und auf der linken Seite eine sichere Abgrenzung haben, dann erleben diese 90 % die wohltuende Wirkung von Feng Shui. Und diesen Menschen ist garantiert in der überwiegenden Mehrzahl egal, warum sich diese Wirkung eingestellt hat. Hauptsache, sie fühlen sich gut. Die Tatsache, daß unsere westliche Wissenschaft nun seit wenigen Jahren den definitiven Beweis erbracht hat, daß dieses instinktive Verhalten mit unseren beiden Hirnhälften zu tun hat, erscheint demgegenüber eher nebensächlich.

Was Feng Shui für uns also so ansprechend und faszinierend werden läßt, ist die Tatsache, daß wir die Wirkungen *fühlen* können. Wir spüren, daß uns diese Erkenntnisse und die daraus entstandenen „Regeln" gut tun, daß wir uns wohl und geborgen fühlen, daß wir uns besser entfalten können, und daß Feng Shui viele positive Veränderungen in unser Leben bringt.

Feng Shui befaßt sich mit sichtbaren, aber auch mit vielen unsichtbaren Dingen. Da geht es beispielsweise um das Haus, in dem Sie wohnen oder arbeiten, aber auch um die Energie, die von den Nachbarhäusern ausgeht und die Ihnen gegenüber positiv, negativ oder neutral sein kann. Gedanken, die wir uns eigentlich bisher kaum gemacht haben.

Wenn wir unsere Türe öffnen, freuen wir uns über netten Besuch, die weniger erwünschten Menschen versuchen wir an der Türe abzuwimmeln und nicht in unser Heim einzulassen. Bei den Energien, die zu uns kommen, machen wir diesen Unterschied nicht. Wir sehen sie ja nicht und können deshalb nicht passend reagieren. Feng Shui zeigt uns, in welcher Form die guten und die schlechten Energien auftreten.

Daß Feuer und Wasser miteinander nicht harmonieren, ist uns allen bekannt. Trotzdem steht der Kochherd in vielen Küchen neben der Spüle. In unserer Erziehung ist dieses Gedankengut nicht verankert, aber trotzdem begreifen wir ganz spontan, daß wir hier ein großes Potential an intelligenter Logik geradezu mit Füßen treten. Wir sind doch alle nicht dumm, wir befinden uns nur in einem vorübergehenden Zustand der Unwissenheit. Und das können wir jetzt ändern.

Wenn Feng Shui einen neuen Namen brauchte, ich würde es „Geist des Lebens" nennen.

Abwarten oder Handeln?
– Ein paar Worte zum Buch –

Wenn ich Sie nun fragen könnte, ob Sie sich gerne etwas Gutes tun möchten oder ob Sie damit lieber noch warten möchten, so entscheiden Sie sich sicherlich für ersteres. Mit, durch und dank Feng Shui haben Sie unendlich viele Möglichkeiten, sich Gutes zu tun, sich zu stärken, zu schützen, aufzubauen, in Harmonie zu bringen, schlechte und negative Einflüsse abzuwehren und das Schöne und viel Glück anzuziehen.
Feng Shui ist wie ein Puzzle, bei dem ganz viele Einzelteile zu einem großen Ganzen werden. Einige Puzzleteile sind reine Theorieblöcke, andere wiederum praktische Hinweise, einfach verständliche „Systeme", logische und mystische Gliederungen und unendlich viele gute, kleine Ratschläge. Die Theorie gehört unzertrennlich zum Gesamtbild, sie gibt den Rahmen, den Halt und die Festigkeit. Der Teil in der Mitte des Bildes ist allerdings der interessantere, der spannendere und der faszinierendere. Und genau so ist dieses Buch auch aufgebaut. Der Rahmen, die Theorie, kommt ganz am Schluß, und wir werden nun gemeinsam gleich das Bild in der Mitte zum Leben erwecken.

„Wen um alles in der Welt hast du zu uns nach Hause bestellt?"

Wenn ich zu Feng-Shui-Beratungen geladen werde, heißt das nicht immer, daß ich von strahlenden Menschen empfangen werde. Bei Paaren ist fast immer einer der beiden erwartungsvoll und gespannt, was die kommenden Stunden bringen werden, der andere zeigt mir mit deutlichem Stirnrunzeln, kopfschüttelnden Bemerkungen und skeptischer Haltung ganz unverhohlen die mangelnde Begeisterung. Die Erläuterung, die ich in dieser Situation gebe, möchte ich Ihnen wie meinen Klienten erklären:
Seit wir Menschen nicht mehr als Nomaden durch die Lande ziehen und zusammen mit der Natur leben, haben wir angefangen, die Natur zu unserem Vorteil zu nutzen, zu unterwerfen und umzugestalten. Das war vor langer Zeit. Wir haben Häuser gebaut, weil das für uns besser ist, und mittlerweile sind überall auf der ganzen

Welt ganz viele Häuser entstanden. Das Haus hat Zelt und Höhle ersetzt und stellt sich eigentlich zwischen Mensch und Natur, oder anders gesagt, jedes Haus ist für seine Bewohner das Bindeglied zur Natur, zur Welt, zum Universum. Die Lehre von Feng Shui konzentriert sich nun auf diese wichtige Verbindung. Je besser und stärker dieser Zusammenhalt ist, desto mehr profitieren Mensch und Natur davon. Die Natur, das Haus und der Mensch werden ein Team, das sich gegenseitig aufbaut, unterstützt und stärkt.

Wenn wir unser Haus einrichten, wenn in der Nachbarschaft gebaut wird oder wurde, hat das alles enormen Einfluß auf unser Wohlbefinden. Ein Baum am falschen Ort kann „unsere Perspektive genauso verdüstern", wie ein falsch plazierter Stuhl uns das Gefühl von Hilflosigkeit, Schwäche oder Unruhe vermitteln kann. Farben und farbliche Veränderungen zeigen die Wünsche, die wir gerne zum Ausdruck bringen möchten, die aber vielleicht nie ausgesprochen werden und damit unerfüllt bleiben. Mit Feng Shui werden so viele Dinge sichtbar. So beispielsweise, ob wir uns den Lebensweg „selber verbauen", wie wir mit Eltern oder Vorgesetzten umgehen oder wie wir den Weg zum Du, zum Partner gehen. Unsere vier Wände sind ein Spiegelbild unserer Wünsche, unserer Hoffnungen, unserer Ängste und sehr oft die Begründung dafür. Feng Shui hilft uns, die schwachen Stellen zu mildern, die guten Seiten zu fördern und die Harmonie wieder zum Schwingen zu bringen, damit wir glücklich und zufrieden leben und wirken können.

Yin und Yang

Yin und Yang sind vermutlich die bekanntesten chinesischen Symbole überhaupt. Wer auch immer zum ersten Mal mit ihnen in Berührung kommt, ist erstaunt und fasziniert über das tiefe Wissen, das sich darin widerspiegelt.

Über die Entstehung des Yin/Yang ist nicht sehr viel Konkretes bekannt, dafür gibt es um so mehr Gerüchte und teilweise auch abenteuerliche Erzählungen. Lao-tse, der große chinesische Philosoph (vermutlich ca. 600 v. Chr. geboren), gilt zwar allgemein als „Vater" von Yin/Yang, aber selbst die Identität dieses großen Meisters ist umstritten. Denn Lao-tse heißt übersetzt nichts anderes als: „Alter Meister". Ein sehr ruhmvoller Beiname, sicherlich, aber wer war diese Persönlichkeit, wer war dieser Mann, der später nur noch „Lao-tse" genannt wurde? Nur eines ist bei ihm absolut klar:

ein großer Unbekannter hat einen Meilenstein gesetzt, und sein Werk, das „Tao te King" ist, wie spätere Funde gezeigt haben, fast völlig identisch überliefert geblieben.

Die einzelnen Entwicklungsstufen vom Yin/Yang werden im folgenden vom Altmeister persönlich kommentiert, die Texte stammen aus dem *Tao te King*, dem großen Werk des Lao-tse.

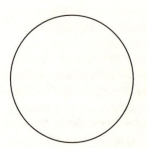

Das Ur-Chi (Wu Chi)
Dreißig Speichen teilen die Nabe;
Das Loch in der Mitte macht es
brauchbar.
Forme Lehm zu einem Gefäß;
Der innere Raum macht es brauchbar.
Brich Türen und Fenster in ein Zimmer;
Die Öffnungen machen es brauchbar.

Man zieht Gewinn aus dem, was da ist,
Man zieht Nutzen aus dem,
was nicht da ist.

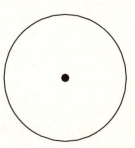

Der erste Schritt zu Yin Yang
Ist es zwischen Himmel und Erde
Nicht wie ein Blasebalg?
Leer, und doch fällt er nicht zusammen,
je mehr er sich bewegt,
desto mehr bringt er hervor.

Mehr Worte sagen weniger.
Halte an der Mitte fest.

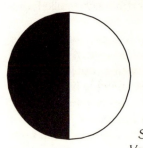

Die Kräfte entstehen
Sein und Nichtsein erschaffen einander,
Schwierig und einfach ergänzen einander,
Lang und kurz heben sich voneinander ab,
Hoch und tief ruhen aufeinander,
Stimme und Klang schwingen miteinander,
Vorne und hinten folgen einander.

Yin/Yang

Yin bedeutet wörtlich übersetzt „das Beschattete"; Yang bedeutet „das Besonnte".
Yin und Yang werden auch Zwillingskräfte genannt. Das Eine kann ohne das andere nicht existieren. Wer den Tag nicht kennt, kann auch die Nacht nicht erkennen.
Ihrer Verbindung (Vereinigung) brachte fünf Kinder hervor, das sind die fünf Elemente (die gleich ausführlich beschrieben werden), und daraus entstanden wiederum die zehntausend Dinge (Die Lehre des Tao/Taoismus, die ich hier nicht mehr weiter erläutern kann, weil sie den Rahmen des Buches sprengen würde)
Yin und Yang prägen sich auf allen Ebenen des Daseins und in allen Erscheinungsformen des Lebens aus. Sie stehen sich als Gegensätze gegenüber und ergänzen einander, sie gehen fließend ineinander über und tragen einer des anderen Keim in sich (so wie es das berühmte Yin-Yang-Symbol bildlich treffend darstellt).
Am häufigsten werden in bezug auf Yin/Yang die folgenden „Zwillingspaare" genannt:

Yang	*Yin*
Mann	Frau
Aktiv	Passiv
Nehmen	Geben
Heiß	Kalt
Hart	Weich
Hell	Dunkel
Sonne	Mond
Bewegung	Stille/Einhalt
Tag	Nacht

Yin/Yang sind nicht nur „Dualseelen", unzertrennlich in alle Ewigkeit, sie verkörpern noch mehr, nämlich die Tatsache, daß diese Zwillingskräfte im vollkommenen Gleichgewicht zueinander stehen und daß erst dadurch eine echte Harmonie entstehen kann.
Wenn aber das eine nur existieren kann, weil es auch das andere gibt, und eine Harmonie nur entsteht, wenn beide Kräfte gleich stark vertreten sind, so bedeutet das in logischer Konsequenz, daß beide Teile nur *gemeinsam* betrachtet werden dürfen.
Im Alltag kann uns diese Weisheit eine sehr große Hilfe sein. Wir alle kennen das Wort „fair". Fair bedeutet, daß wir beide Seiten gleich behandeln, gleich bewerten, gleich betrachten und erst dann

urteilen, sofern uns dies überhaupt zusteht. Doch oft sind wir parteiisch, weil Emotionen und Gefühle mitspielen, und damit verhelfen wir einer Seite zu mehr Stärke. Dann wird entweder das Yin oder das Yang stärker, und die Harmonie, das Gleichgewicht wird gestört. Ist aber bereits ein Ungleichgewicht gegeben, so kann unser Eingreifen das Gleichgewicht wieder herstellen. das Yin/Yang-Verhältnis ist dann wieder ausgeglichen. Kompromisse haben die schöne Eigenschaft, daß sie den Weg in die Mitte anstreben. Aber ein guter Kompromiß schließt auch mit ein, daß er für beide Seiten akzeptabel ist.

Im Feng Shui wird die Lehre von Yin und Yang nicht vordergründig behandelt, sie spielt im Verhältnis zum Ganzen eine eher untergeordnete Rolle, ist aber dennoch als philosophischer Hintergrund all dessen, was noch gesagt werden wird, nicht wegzudenken. Bei dieser Gelegenheit muß für uns „Westler" noch eines besonders angemerkt werden, daß nämlich das Erfassen der Dinge mit Hilfe von Yin/Yang für viele Chinesen ein ganz normaler Bestandteil ihres Denkens ist und daher auf ganz natürliche Weise dazugehört.

Alles, was aktiv ist, wird Yang zugeteilt: wenn beispielsweise auf ein Feld von morgens bis abends die Sonne scheint, gibt es dort viel Yang-Energie. Wenn sich das Feld aber hinter einem Hügel befindet und es bereits ab dem frühem Mittag im Schatten liegt, besitzt das Feld viel Yin-Energie. Ist ein Mensch sehr aktiv, hat er viel Yang-Energie. Ist ein Mensch eher passiv, überwiegt die Yin-Energie.

Soviel zum Thema „Yin/Yang". Im Feng Shui spielen allerdings die „Kinder", die aus der Verbindung von Yin und Yang hervorgegangen sind, eine ganz zentrale Rolle, und mit ihnen werden wir uns im letzten Teil, dem Theorieteil über die 5 Elemente, detailliert befassen.

Teil 1

Die fließenden Energien

Energie ist etwas, was wir normalerweise nicht sehen, wohl aber fühlen, spüren oder auch schmerzlich erfahren können, wie beispielsweise Strom. Ist die Energie hoch konzentriert wie bei einem Blitz, dann können wir sie auch sehen. Könnten wir uns die Energie zunutze machen, die Blitze besitzen, wären vermutlich sämtliche Energieprobleme der Menschheit für immer und ewig gelöst, und Themen wie Luftverschmutzung durch Heizungen und Autoabgase würden für alle Zeit der Vergangenheit angehören.

Energie ist jedoch nicht nur ein „technischer Artikel", dem im Dienste der Menschheit steht; sie ist ein Teil von uns selbst. Wenn wir uns körperlich bewegen und ins Schwitzen kommen, strahlen wir eine Art Hitze ab, eine Energie, die wir selbst und auch andere Menschen in uns spüren können. Wenn wir im Sommer an der Sonne liegen und unsere Haut sich erwärmt, konservieren wir die Sonnenenergie in unserem Körper und geben sie nach und nach wieder an unsere Umgebung ab. Doch die Energie des Menschen ist (wie alles an uns) nicht nur körperlicher, sondern auch geistiger und seelischer Natur. Wenn wir z. B. über einem kniffligen Problem grübeln, entsteht eine ganz spezielle Spannung in der Luft; man hat fast das Gefühl, als ob es im Geist „knistert". Wenn in Schulklassen Prüfungen geschrieben werden, steht die ganze Luft unter Spannung – eine Spannung, die von den Gehirnen der Kinder und der Jugendlichen hervorgerufen worden ist.

Und wie verhält es sich im seelischen Bereich? Ich glaube, da braucht es keine lange Erklärung. Wenn wir unser Herz der Liebe öffnen, fließt die Energie in unendlichen Strömen, so daß wir es fast physisch spüren können. Wärme breitet sich im Körper aus, uns wird warm (ums Herz), ein Gefühl von Wohlbehagen und Leichtigkeit durchströmt uns. Das sind Momente, in denen selbst die Gesetze der Schwerkraft irgendwie ihre Macht und Gültigkeit verlieren.

Der Fluß der Energie

Energie macht keine Halt vor Mauern und Hindernissen. Sie kann sanft fließen oder sich auch sehr gebündelt und kräftig ihren Weg bahnen. Sie ist überall, durchdringt alles und ist in allem und jedem von uns vorhanden. So erstaunt es auch nicht, daß im Feng Shui die Energien in verschiedene Qualitäten unterschieden werden: „gut" bzw. "schlecht" und daß der Mensch sein persönliches Energiemuster besitzt (Es wird z. B. in der Astrologie in Form des Horoskopes und im Feng Shui als „persönliches Element" symbolisch ausgedrückt). Aber auch andere Energieformen müssen in Betracht gezogen werden: So die Energien, die um ein Gebäude herum strömen, und jene, die durch die einzelnen Räume fließen.

Man könnte hier von inneren und äußeren Energien des Menschen sowie auch von inneren und äußeren Energien der Gebäude sprechen.

Von guten und schlechten Energien

Wir strahlen also alle Energie aus und nehmen alle im Gegenzug auch wieder Energie entgegen. Wenn wir Energie „geben" und Energie „nehmen", unterscheiden wir nicht nach körperlich, geistigen oder seelischen Energien, sondern nach angenehm und unangenehm, also positiv und negativ. Die Chinesen nennen die positive Energie *Chi*, die negative Energie *Sha*. So befinden wir uns Tag für Tag, Minute für Minute im Prozeß eines Energieaustausches, einer Wechselwirkung, der wir uns nicht entziehen können, weil wir selbst ein Teil davon sind.

Aber damit ist noch nicht alles gesagt: Wir leben, *weil* die Energie in uns fließt und unseren Körper und unseren Geist mit „Strom" versorgt. Die Energie der Seele jedoch unterliegt noch einem weitergehenderen Gesetz: Sie ist in ihrem Wesen, je nach Ideologie, eine sterbliche oder eine unsterbliche Form von Energie: Je nach religiösem Hintergrund spricht man von Seelenwanderung, von Reinkarnation oder auch vom ewigem Leben. Handfeste, wissenschaftliche Beweise gibt es dafür nicht, aber ist diese „Beweisbarkeit" wirklich das Entscheidende, wenn wir spüren, daß es so ist?

Unser Körper ist das Transportsystem unserer persönlichen Energie. Wir pflegen ihn zwar alle regelmäßig, sei es durch Sport, Training, Ernährung, Reinigung etc., aber das Transportsystem selbst, die Bahnen, in denen die Energie fließt, erfährt von uns kaum Wartung oder Pflege. Auch dem Volumen von Chi, der uns verfügbaren Energiemenge, messen wir keine besonders große Bedeutung bei. Wenn wir krank werden und unsere Energie massiv reduziert ist, dann bauen wir (aus Gründen der Selbsterhaltung) wieder welche auf, dies allerdings meist nur medikamentös oder mit Hilfe von Vitaminpräparaten. Normalerweise reicht das auch aus, um uns wieder auf das frühere Level zu bringen, aber eine dauerhafte Erhöhung der uns verfügbaren Energiemenge ist auf diese Art und Weise natürlich nicht zu erreichen.

Dank der Kirlian-Fotografie (Aura-Fotografie) können wir unser Energiefeld in voller Farbenpracht betrachten. Je nach Stimmung (und auch körperlichem Wohlbefinden) ändert sich unser Farbenbild und vor allem die Farbintensität und die Reichweite der Ausstrahlung. Damit sind wir bei einem ganz zentralen Punkt angekommen. Je stärker meine Ausstrahlung ist, desto größer ist meine „Reichweite". Sie können das mit einem schnurlosen Telefon vergleichen. Wenn Sie in der Nähe der Ladestation sind, ist die Verbindung einwandfrei. Entfernen Sie sich jedoch davon, hängt es von der Qualität des Gerätes ab, wie viel Distanz Sie überbrücken können, um noch eine einwandfreie Verbindung zu haben. Genauso ist es beim Menschen. Wenn wir also unsere Energiemenge vergrößern, haben wir auch eine größere Reichweite. Wenn wir eine größere Reichweite besitzen, stehen uns auch mehr Möglichkeiten zur Verfügung, um andere Energien zu erreichen. Wenn unsere Energiemenge vergrößert ist und zusätzlich konzentriert wird, haben wir die Möglichkeit, unsere Energie an einen Punkt zu lenken, also direkt mit einem Menschen oder einer Sache in Kontakt zu treten.

So sieht nun alles danach aus, als ob unsere verfügbare Energiemenge und unser Energietransportsystem, Bereiche, die wir im Alltag kümmerlich vernachlässigen, den Ausgangspunkt für Phänomene wie Telepathie und Telekinese darstellen. In zahlreichen Science-fiction-Filmen wird telepathisch kommuniziert oder „gebeamt", diese Vorstellung ist uns bestens vertraut. Aber was ist der Grund dafür, daß wir diese Kräfte nicht aktivieren und schulen? Ich kann Ihnen diese Frage nicht beantworten.

Die Vorstellung, daß nicht nur wir Menschen (und jene technischen Gerätschaften, die an Strom angeschlossen sind) von Energie und einem Energiefeld umgeben sind, ist in den letzten Jahren zu einem schon fast selbstverständlichen Gedankengut geworden. Tiere, Pflanzen und Bäume, aber auch Häuser und Standorte haben ihr eigenes Energiefeld, eine ganz persönliche Ausstrahlung, die uns entweder sympathisch oder unsympathisch ist. Selbst die Plastikblume von der Kirmes oder die Porzellanvase aus dem Urlaub vor 15 Jahren – alles hat Energie, alles beeinflußt uns, alles steht mit uns in ununterbrochener, direkter, persönlicher Verbindung.

Der Aufbau und das Training von Chi

Jede Aktivität erzeugt Energie und positive Energie heißt *Chi*. Der Begriff an und für sich bedeutet auch „Luft", „Atem" oder „vitale Energie". Die Chinesen haben bereits vor einigen tausend Jahren begonnen, die Energie des Menschen zu erforschen. Dabei haben sie drei Bereiche, die wir „Westler" streng getrennt haben, als ein Ganzes betrachtet: Die Medizin, die Philosophie und die Kampfkünste.

In den vergangenen 20 Jahren sind mit den *Kung-Fu*-Filmen zuerst die Kampfsportarten bei uns bekannter geworden, später dann auch die Kampfkünste. Beim Sport geht es um körperliche Ertüchtigung und persönliche Höchstleistungen, beim den Künsten geht es um einiges mehr. Nicht nur die gesamten philosophischen Aspekte (Beispiel: *Wasser ist härter als Stein*) sondern auch *Qi-Gong, Qi-Kung und Tao-Yoga,* das alles sind Bestandteile der alten chinesischen Kampfkünste, die dem Aufbau der inneren Kraft und gleichzeitig der körperlichen Stärkung (Organe und Drüsen) dienen. Die Übungen, die zur Stärkung des Chi gelehrt wurden, sind je nach Stilrichtung öffentlich gemacht oder auch geheim gehalten worden. Uralte Überlieferungen aus der *Bolin-Epoche* erzählen von den „*8 Unsterblichen*", die durch diese Übungen außergewöhnliche Fähigkeiten wie Hellsehen und Hellhören entwickelt haben und Astralreisen unternommen haben. Weitere Überlieferungen erzählen von alten Meistern, die im Alltag schwach und gebrechlich geworden sind, aber für eine kurze Dauer ihre Energie so potenzieren konnten, daß selbst die jungen Kämpfer nicht die geringste Chance hatten, wenn sie sich mit den Meistern messen wollten.

Das Training und der Aufbau der Inneren Energie stärkt den Körper, festigt den Geist und läßt Kräfte in uns erwachen und zum reißenden Strom anschwellen, die vielleicht augenblicklich noch eher einem dürftigen Rinnsal gleichen. Doch nichtsdestotrotz sind diese Kräfte in jedem von vorhanden. Wenn wir bereit sind, sie zu entwickeln und zur vollen Entfaltung zu bringen, so können und dürfen wir dies jederzeit tun. Am besten geeignet für den Aufbau von Chi sind die Praktiken des *Tai Chi* (*T'aichi*), des *Qi Gong* (*Chi-Kung*) und des *Tao Yoga* (Eisenhemd *Chi-Kung*). Am einfachsten lernt man diese Techniken in der Gruppe, daher ist es empfehlenswert, sich in der näheren Umgebung eine Vereinigung zu suchen, die diese Praktiken unterrichtet. Zahlreiche Kampfkunst-/Kampfsport-schulen haben diese Techniken in ihr Programm aufgenommen.

Eins und eins gleich Chi

Jeder Mensch, jede Pflanze, jedes Tier und jeder Gegenstand hat seine eigene Lebensenergie, sein eigenes Chi. Gute Energien sind sanfte Energien, wie ein warmer, weicher Wind oder ein Streicheln auf der Haut.

Doch es gibt nach chinesischem Verständnis noch viele andere Formen von Chi. Treffen beispielsweise Feuer und Wasser (Hitze und Feuchtigkeit) aufeinander, so entsteht ebenfalls eine Form von Chi; wir nennen es Dampf. Weitere Chi-Formen, die aus Synergien und Verbindungen entstehen sind: Luft, Bewegung, Gas, Wetter und Kraft.

Der Mensch und sein Chi

Auch der Mensch verfügt nicht nur über eine Form von Chi, sondern über ganz viele Arten, hoch entwickelte und andere, die als Basis für das Leben dienen. So werden beispielsweise im Qi-Gong die einzelnen Kreisläufe des Menschen, die das Leben ermöglichen, in Brust-Chi (Atmung) und nährendes Chi (Blutkreislauf) gegliedert und dann weiter nach ihren Yin- und Yang-Qualitäten unterteilt.

Höhere Formen des menschlichen Chi entwickelt jede Person im Laufe ihres Lebens selber, und je mehr von diesem Chi vorhanden ist, desto entwickelter ist der Mensch. Die Chinesen gehen von der Grundthese aus, daß das kosmische Chi immer bedeutend stärker ist als das des Menschen. Daher sollte der Mensch eine Annäherung an „das Göttliche, das Universelle, das Kosmische" anstreben, um auch hier der Harmonie näher zu kommen.

Diese höhere Chi-Form entwickelt sich aus der Lebenseinstellung, der Art und Weise, wie sich ein Mensch verhält, und aus seiner Energie und Tatkraft.

Um die verschiedenen Formen des menschlichen Chi zu aktivieren, gibt es nach der chinesischen Denkensweise 8 Hilfsmittel. (Sie werden im nächsten Kapitel, wo Sie die 8 Trigramme des I Ging ein wenig näher kennenlernen werden, entsprechende Parallelen finden.)

Die 8 Hilfsmittel zur Unterstützung und zum Aktivieren des menschlichen Chi sind: Licht – Töne – Farbe – Leben/Wachstum – Bewegung – Stille – Geradlinigkeit – Wiederholung/Repetition.

Feng Shui und Chi

Feng Shui dient dem Leben in Harmonie zwischen den Menschen und der Umwelt. Das Thema, das Sie hier erfahren und erleben, ist nicht der Energiefluß, der vom Menschen ausgeht: es sind jene Energien, die von der Außenwelt, z. B. aus dem Wohnumfeld, auf den Menschen einwirken.

Der Lebensatem, das atmosphärische Chi

Wir alle spüren die wohltuende Wirkung von frischer Luft, und unseren Tieren, Pflanzen und Räumen geht es nicht anders.

Während die Abstellkammer und der Keller normalerweise kaum durchlüftet werden und dadurch richtiggehend verkümmern, können andere Räume dank Fenstern und Türen aufatmen und gedeihen. Empfindliche Zonen wie Bad und Küche benötigen entsprechend mehr frische Luft, und das Chi in diesen Räumen wird auch nicht allein durch ein Windglockenspiel optimiert werden, sondern nur durch neue, frische Luft.

Fließt allerdings zuviel und sehr schnelle Luft durch einem Raum, so merken wir dies an den zuschlagenden Fenstern und Türen; wir sprechen von Durchzug. Diese Konstellation entsteht hauptsächlich dann, wenn Fenster und Türen einander gegenüber liegen. Die wohltuende Wirkung von Chi verwandelt sich durch die Geschwindigkeit in eine negative Energieform, Sha genannt.

Das Licht, das beleuchtende Chi

Genauso wichtig wie frische, sanft zirkulierende Luft ist für uns das Licht. Unsere große, natürliche Lichtquelle ist die Sonne, die uns zusätzlich noch etwas anderes schenkt: die Wärme. Licht und Wärme sind daher sehr eng miteinander verbunden. Das Sonnenlicht kommt von oben und ist wohl die einzige Form von Chi, die auf geradem Weg und nicht in sanften Bahnen fließen darf. Für unser Zuhause verwenden wir alle Arten von Lampen sowie zahlreiche künstliche Lichtquellen, deren Stärke sehr variieren kann. Da das Sonnenlicht von oben nach unten fließt, ist für ein harmonisches Chi bei Lampen ebenfalls der Energiefluß von oben nach unten ideal. Die indirekte Beleuchtung ist vor allem für „tote Ecken" wichtig, da so eine belebende Wirkung eintritt.

Für Ladengeschäfte, die auch tagsüber die Auslagen künstlich beleuchten müssen, gilt, daß sich die Menge des künstlichen und des natürlichen Lichtes in etwa die Waage halten sollten.

Das wärmende Chi

Das Licht sinkt von oben nach unten, und die Wärme steigt von unten nach oben. Wärme kann jedoch wie die Luft von einem Raum in den anderen gelangen. Die modernen Häuser sind normalerweise so angelegt, daß keine Heizwärme (und mit ihr kein wärmendes Chi) verloren gehen. Früher war in jedem Haus ein großer Ofen in der Küche, manchmal mit einem Kachelofen im Wohnzimmer verbunden, oder ein offener Kamin, um das Haus zu beheizen. Da das wärmende Chi in Analogie zu unserem Blutkreislauf betrachtet wird, der das Blut zum Herzen transportiert, hat ein noch intakter und aktiver Ofen oder Kamin die Funktion des Herzens. Unser Herz befindet sich „in der Mitte", und so ist es auch nicht weiter erstaunlich, daß im Feng Shui der Kamin so zentral wie möglich in der Wohnung stehen sollte, auf keinen Fall aber an irgendeiner Außenmauer.

Sha – die Zerstörungskraft

Jeder Ladenbesitzer ist erfreut über zahlreiche Besucher, denn die Kunden bringen einem Geschäft Geld, Wachstum, Existenz und Vertrauen, so daß der Ort ein gutes Chi hervorbringt und ein harmonisches Feng Shui entsteht.

Wenn es sich aber bei den Besuchern nicht um Kunden sondern um Vandalen, Räuber und Einbrecher handelt, wird das Geschäft bis zur Gefährdung der Existenzgrundlage zerstört: die Energie von *Sha* ist am Werk.

Nicht verhält sich Sha so offensichtlich gewalttätig wie im obigen Beispiel, aber Sha bringt auf jeden Fall nichts Gutes mit sich. Glücklicherweise lassen sich viele Erscheinungsformen von Sha relativ leicht erkennen.

Während sich Chi in sanften, harmonischen Kurven bewegt, wählt Sha den kürzesten und direktesten Weg, um von A nach B zu kommen. Sha neutralisiert und zerstört die positive Energie, die für uns die Basis für ein harmonisches Leben ist. Für uns Menschen bewirkt der Einfluß von Sha, daß wir uns gesundheitlich unwohl, geschwächt und matt fühlen, unseren Mitmenschen und der Familie nicht mehr genügend Aufmerksamkeit schenken und auch unserer Umgebung (Haus, Wohnung) nicht mehr die nötige Beachtung geben. Es entsteht eine Art Zustand der Verwahrlosung, des lieblosen Umgangs mit uns selbst und unserem Umfeld. Auf einer solchen Grundlage kann weder die Liebe, die Familie noch ein Geschäft gedeihen. Häuser und Grundstücke verwildern, und je länger der Zustand andauert, um so weniger wird sich jemand finden, der bereit ist, die Situation zu verändern.

Die Erscheinungsformen von Sha

Wo viel „los ist", kann viel Energie entstehen, und auf unseren Straßen ist manchmal „richtig viel los." Da brausen Autos vorüber, die einen schneller, die anderen langsamer. Je gerader die Straßen sind, desto schneller fahren die Autos.

Straßen

Eine Straße ist immer, ob in der Stadt oder auf dem Land, ein Ort der Aktivität und gleichzeitig eine Art „Hauptleitung," die Energie von außen auf Ihr Haus zuführt.

Für Straßen gelten folgende Feng-Shui-Regeln oder -Hinweise:
Das Haus sollte nicht in der Nähe einer scharfen Kurve liegen. Ein Auto, das in einer Kurve nicht rechtzeitig bremsen kann, wird zu einer akuten Bedrohung für das Haus und die Menschen darin.

Auch wenn das (glücklicherweise) nicht oft vorkommt, registrieren wir doch unterbewußt die Gefahr, die diese Kurve für das Haus und dessen Bewohner darstellt.

Das Haus sollte auf keinen Fall an einer Straßengabelung oder Straßenecke liegen. Auch eine Straßenkreuzung ist dem Glück nicht besonders zuträglich.

Die Straße sollte in einer harmonisch fließenden Form mit leichten Biegungen gebaut sein. Verbindet die Straße auf dem geradesten Weg A mit B, so hat sie die gleiche Erscheinungsform wie Sha.

Die schlechteste Variante ist die, daß ein Haus von allen vier Seiten von Straßen umgeben ist.

Die **beste Variante** ist die folgende: Das Haus liegt in der konkaven Biegung (der inneren Seite der Kurve) einer sanft geschwungenen Straße. Somit wird die Kurve zu einer Art Wärmeband aus Chi, das das Haus umgibt und schützt.

Falls Sie nun in einem Haus wohnen, bei dem die Straße das Sha direkt an das Haus heranführt, so haben Sie als Mieter nicht viele Möglichkeiten, als Besitzer allerdings sehr wohl. Damit das Sha nicht „mit voller Wucht" ins Haus fließen kann, empfiehlt es sich, den Eingang auf die Hinterseite des Hauses zu verlegen und, wenn irgendwie möglich, auf der gefährdeten Vorderseite Büsche (keine großen Bäume, die Schatten werfen können) oder eine Hecke zu pflanzen. Wenn Sie Mieter in einem Haus sind, bei dem das Sha über eine Straße direkt in Ihr Haus geleitet wird, sorgen Sie als erstes dafür, daß die Eingangstüre wenn immer möglich geschlossen bleibt. Wenn Sie können, stellen Sie neben die Eingangstüre noch je einen größeren Blumentopf auf. Für das Innere Ihrer Wohnung ist auch hier wieder das bereits bekannte Aquarium mit roten Fischen (Goldfischen) eine Hilfe gegen das Sha.

Brücken, Tunnels

Bezüglich der Straßen haben wir bereits festgestellt, daß dort, wo viel „los ist", auch viel Energie entsteht. Wenn nun auch noch die Straßenbreite künstlich begrenzt wird, wird die Energie zusätzlich „verdichtet". Dieses Phänomen der Energiekonzentration finden wir bei Brücken, Tunnels und Unterführungen. Beim einen Ende drängen sich die Menschen und Autos hinein, und die andere Seite gleicht einer Schrotflinte, aus der die Menschen und Autos wieder herausgeschossen kommen und sich in alle Richtungen zerstreuen. Ob man nun die Brücke oder den Tunnel von der einen oder der anderen Seite betrachtet, das Bild bleibt das Gleiche.

Brücken konzentrieren den Fluß des Sha noch zusätzlich, was für ein privates Wohnhaus absolut schädlich ist. Für gewisse geschäftliche Tätigkeiten kann diese hochgradige Energiekonzentration jedoch auch nützlich sein, die Unterhaltungsbranche (Kino, Dancing, Disco) kann davon profitieren, ebenso „Trendsetter-" und „In-Geschäfte", die einen ständigen Wechsel im Sortiment bieten.

Der Energieverlauf von Straßen und Brücken, der Sha erzeugt, wird im Feng Shui als „geheime Pfeile" oder auch „spitze Pfeile" benannt.

Gefährliche „Schattenspender"

Sha ist die Energie der „Schattenseite". So ist es auch nicht erstaunlich, daß all jene Gegenstände, Bauten und auch Bäume, die einen Schatten auf Ihren Eingang werfen, als „Komplizen" der Sha-Energie angesehen werden.

Hauptsächlich finden wir diese Konstellation bei Telefonmasten, Laternenpfählen und Starkstrom-Leitungen. Aber auch Denkmäler und Säulen, die unmittelbar von dem Eingang plaziert sind und ihre Schatten auf Ihre Tür fallenlassen, gehören dazu.

Ein bißchen weniger schwerwiegend, aber trotzdem wesensverwandt, ist die Wirkung kleinerer Schattenspender wie Straßen- und andere Schilder. Auch ein Baum vor einem Eingang leitet das Sha ins Haus. Die Natur ist insofern nicht automatisch als „unschuldig" oder unbedenklich zu bewerten. Sie kann genauso zur Sha-Quelle werden, wie andere, von Menschenhand geschaffene Objekte.

Für Schattenspender gelten diese Regeln und -Hinweise:
Wenn Ihr Eingang nun von einem Baum oder einem Holzmasten „überschattet" wird, so haben Sie eine ganz einfache Möglichkeit, den Einfluß von Sha einzudämmen. Nach der Lehre der 5 Elemente wird Holz durch Metall zerstört bzw. zerschnitten, und es kann somit nicht weiter seinen Einfluß geltend machen. Da es in öffentlichen Anlagen nicht gerne gesehen wird, wenn den Holzmasten, Straßenschildern und Bäumen Metallketten umgelegt werden, können Sie auch kleine Metallteile wie Schraubenmuttern in den Boden und die Erde „einsäen". (Verwenden Sie bitte nichts Spitziges, damit sich Kinder und Tiere nicht verletzen.) Besteht der Boden nur aus Beton, bleibt Ihnen nur noch die Fahrrad-Absperr-Kette. Für den Spaziergänger sieht es dann so aus, als ob ein zerstreuter Radfahrer etwas vergessen hätte. Allerdings ist hier die Gefahr

relativ groß, daß die Stadtverwaltung die Kette gelegentlich wieder entfernen wird.

Der Schatteneinfluß auf den Eingang (gemeint ist hier nicht nur der sichtbare Schatten) wird im Feng Shui als *Sha-Schwert* bezeichnet.

Schlechte Gesellschaft

Wer sich in „schlechte Gesellschaft" begibt, darf sich nicht wundern, wenn einiges davon irgendwann auf ihn abfärbt. Im Feng Shui bezieht sich dieser Ratschlag auf die Nachbarschaft und geht um einiges weiter als unser übliches Denken. So sollten folgende Gebäude als Nachbarn wenn immer möglich gemieden werden:

- **Kirchen**, weil die Gläubigen dort ihr seelisches Leid abladen.
- **Polizeistationen** und **Gefängnisse**, weil diese Orte mit Unrecht und Verbrechen zu tun haben.
- **Bars**, **Diskotheken** und **nächtliche Vergnügungslokale** aller Art, weil hier zum einen die Nachtruhe gestört wird und zum anderen die Verbindung von Mensch, Alkohol und Drogen nicht unbedingt optimal ist.
- **Müllhalden** und **Verbrennungsanlagen**, weil an diesen Stellen der „letzte Dreck" beseitigt wird.
- **Krankenhäuser**, weil Krankheiten nach chinesischer Auffassung „nur den Wirt" gewechselt haben, wenn ein Patient „geheilt" ist.

Schöne Aussicht mit schlechten Aussichten

Wenn Sie auf einem Berg oder Hügel wohnen, haben Sie sicherlich eine herrliche Aussicht. Das oberste Haus einer Wohnanlage hat jedoch „schlechte Aussichten", was den sanften Fluß von Chi betrifft.

Je freier das Gebäude steht, desto größer werden die Angriffsflächen, über die Sha verfügen kann. Da zusätzlich die Energie, die unten im Tal fließt, den Hügel hochgetrieben wird, stellt die oberste Kuppe des Berges eine Art „Zentrum eines Wirbelsturmes" dar und kann so nicht zur Ruhe kommen.

Genau der umgekehrte Fall – allerdings mit ähnlichem Ergebnis – ist gegeben, wenn das Haus in einer Talsenke steht. Die Energie fließt vom Berg den Hügel herunter und sammelt sich wie Wasser in einem Bergsee. Die Energie muß sich somit erst einen Weg suchen, um wieder „freizukommen".

Die Botschaft der Form

Die psychologisch tiefgreifende Wirkung von Farben ist allgemein bekannt. Daß aber auch Formen eine unausgesprochene Botschaft enthalten und z. B. Sha-Energien anziehen können, sollte keinesfalls aus den Augen verloren werden.

L-förmige Gebäude bieten dem Energie-Fluß keine Möglichkeit, sich nach den Seiten wegzubewegen. Die Energie wird in der Mitte gefangengehalten, und kann dann nur noch nach oben wegfließen. Diese „gefangene Ecke" wird zu einer Art Konzentrationspunkt von Sha.

U-förmige Gebäude stellen dem gegenüber nochmals eine Steigerung dar, denn hier ist der Energiefluß in eine Sackgasse geraten. Manchmal werden moderne Siedlungen im Kreis aufgebaut, was von außen sehr apart aussieht, bei näherer Betrachtung aber einige Probleme mit sich bringt. Die Energie wird im Zentrum des Kreises gefangen und kann nicht mehr heraus.

Der Verlauf von Wasser hat im Feng Shui eine ganz besondere Bedeutung. Während der Fluß von Wasser *auf ein Haus zu* viel gutes Chi herbeiführen kann, ist Fluß *weg vom Haus* absolut „Sha-trächtig". Dies ist eigentlich ganz einfach zu verstehen. Fließt Wasser auf ein Haus zu, so ist es noch rein. Dann aber wird es von den Bewohnern zum Kochen, Putzen und für die Körperwäsche benützt und fließt verunreinigt wieder weiter. In diesem Zusammenhang wird sicherlich auch verständlich, warum es für die Chinesen absolut zwingend ist, daß die Badezimmertüre und der Toilettendeckel geschlossen bleiben („Gib dem Sha keine Chance!").

Doch nicht nur das wegfließende Wasser ist eine ausgeprägte Form von Sha, auch Einbahnstraßen oder Eisenbahnlinien, die wir vom Fenster aus sehen können, vermitteln das Gefühl von ständigem „Wegfluß" der Energien („nichts und niemand will bei uns halt machen und bleiben").

Wenn ein Eingang zu einem Geschäft auch gleichzeitig als Ausgang genützt wird, so entsteht Sha, wenn der „Personenverkehr nicht geregelt" ist. Steht die Kasse, in der die Geldeinnahmen aufbewahrt werden, von außen gesehen links, so sollte die linke Seite der Bereich sein, in dem die Kunden das Geschäft wieder verlassen werden. Demzufolge sollten die eintretenden Gäste über die rechte Seite geführt werden, damit die Kunden nicht miteinander kollidieren. Dieser „Menschenfluß" kann mit bunten Attraktionen, Angeboten oder anderen Lockmitteln in die richtigen Bahnen gelenkt werden. Der erste Schritt des eintretenden Kunden muß auf jeden Fall nach rechts gewendet sein.

Eine weitere Form von Sha geht von Kanten von Häusern aus, die auf ein anderes Haus hinzeigen. Diese Hauskanten werden als „unsichtbare Äxte" bezeichnet, die das Haus gegenüber ständig bedrohen und gefährden.

Drachenadern und Geisterpfade

Wir begeben uns hier auf ein wissenschaftlich nicht mehr „beweis-bares" Terrain, das aber als wichtiger Bestandteil den „Geist von Feng Shui" widerspiegelt und daher ebenso unseren Respekt und seinen Platz in diesem Buch verdient hat. Ich überlasse es ganz Ih-nen, inwieweit Sie diesen Bereich adaptieren möchten.

Drachenadern

Wenn Sie auf einem Stück Land bauen, in dem ein Drache schlummert, werden Sie mit Sicherheit seine Adern, die „Drachen-adern", verletzen, sobald Sie den Boden ausheben. Einen schla-fenden Drachen zu töten, ist weder rühmlich noch edel und sollte auf jeden Fall vermieden werden. Doch wie erkennen wir einen schlafenden Drachen? Er bildet immer die Form eines Hügels oder einer Anhöhe, und in seinen Adern fließt das Wasser nach dem Regen in die tieferen Regionen (Regenrinnen) hinab. Wenn Sie nun ein Stück Land gesehen haben, das Sie interessiert, und es auf einem Hügel liegt, besuchen Sie das Grundstück nach dem näch-sten Regenfall. Vermutlich wird das Wasser fast überall versickern und eine einzige Wasserrinne verläuft irgendwo nach unten. Wenn Sie nun genau diesen Teil nicht verbauen, wird Ihnen der Drache das für immer und ewig danken.

Geisterpfade

Geisterpfade werden oft mit mystischen Stätten, Orten der Kraft und auch mit Außerirdischen in Verbindung gebracht. Es handelt sich hier um seltsame Zeichnungen und Formbildungen der Natur, die wir uns nicht weiter erklären können. Die großen „Landebahnen" in Peru, aufgeworfene Erdwälle oder auch auf unerklärliche Weise abgetragene Hügel . Die Form der Geisterpfade ist vielfältig. Unab-hängig von allen existierenden rationalen Erklärungen wird im Feng Shui eine solche Zone als der sichtbare Weg gedeutet, den die ver-storbenen Seelen nehmen, um in die Unendlichkeit zu gelangen. Wenn eine Seele später reinkarniert, gelangt sie auf anderem Weg wieder in die menschliche Form zurück. Trotzdem gibt es aber hin und wieder verirrte Seelen, die auf dem gleichen Weg zurückzukeh-ren suchen, auf dem sie die Welt verlassen haben. Diesen verlas-senden Seelen sollten keine Häuser in den Weg gestellt werden, weil sie sich sonst darin häuslich niederlassen. (Verirrte Seelen sind si-cherlich nicht die idealen Mitbewohner im eigenen Heim).

Bäume

Ein anderer fataler Fehler wird von Menschen immer wieder im Umgang mit Bäumen begangen. Bäume sind Mittler zwischen Himmel und Erde, sie erzeugen den für uns lebensnotwendigen Sauerstoff und werden von Chi, der Lebensenergie, durchströmt. Wenn wir nun einen Wald abholzen, um eine große freie Fläche zu haben und darauf Häuser zu errichten, zerstören wir die Verbindung zwischen Himmel und Erde, nehmen uns selbst den lebensnotwendigen Sauerstoff und vernichten das Chi.

Feng-Shui-Meister raten daher dringlichst davon ab, Wälder kahlzuroden, um daraus Bauland zu gewinnen. Ist allerdings keine andere Möglichkeit gegeben, als Bäume zu fällen, so sollte diese Aktion dem effektiven Platzbedarf der Menschensiedlungen angepaßt werden. Wo immer möglich, sollte man versuchen den Wald an anderer Stelle wieder zu stärken und neu aufzubauen.

Wie die Energie ins Innere des Gebäudes gelangt

Die Ein- und Ausgänge der Energie sind Türen und Fenster. Sie kommt zur Türe herein und fließt beim Fenster wieder heraus und umgekehrt.

Mauern, Balken und Einbauten im Raum bilden die natürlichen Begrenzungen, an denen entlang Energie fließen kann. Dies bezieht sich auf alle sechs Seiten eines Raumes, nämlich die vier Wände sowie den Boden und die Decke.

Normalerweise ist der Boden in der gesamten Wohnung eben, und die Decken sind ebenfalls geradlinig. Gewölbte Decken und Dachbalken sind allerdings keine Seltenheit und verdienen deshalb auch besondere Beachtung.

Sha im Inneren des Hauses

Doch selbst, wenn wir alles getan haben, damit in unser Haus nur positive Energie einfließt, so heißt das leider noch lange nicht, daß nicht auch im Inneren Sha entstehen kann. Vorerst gehen wir bei unserer Betrachtung nur von der räumlichen Grundform selber aus. Hinweise zur Möblierung werden in Hülle und Fülle im 5. Teil dieses Buches gegeben.

Wenn ein Fenster und eine Türe oder zwei Fenster sich in einem Raum gegenüberliegen, entsteht Durchzug, wenn auf beiden Seiten geöffnet wird. Da laut Feng Shui jedes Fenster und jede Glastüre auch im geschlossenen Zustand die Energie hinein- und herausläßt, würde ein solcher Raum unter „chronischem Durchzug" leiden.

Die wirkungsvollste Möglichkeit der Abhilfe wäre es hier natürlich, ein Fenster zu entfernen oder es konsequent mit einem Rolladen oder einer festen farbigen Gardine zuzuhängen.

Raum ohne Fenster, im Kreis
zirkulierende Energie

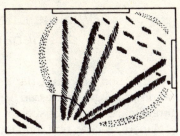

Hier breitet sich viel Sha aus
und verdrängt Chi

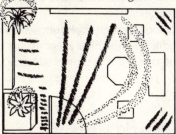

Das größte Teil des Raumes hat
zu wenig Energie

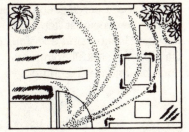

Energiefluß wird durch Mobiliar
umgelenkt und Chi wird erhöht

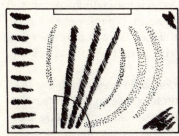

Große Sha-Zonen füllen den
Raum aus

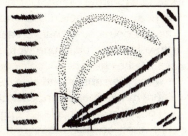

Tür und ein Fenster im rechten
Winkel zueinander, erhöhtes Chi

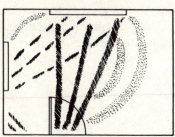

Im Bereich von Fenster und
Türen wenig Chi

energetisierendes Chi
energieraubendes Sha

Wenn ein Haus erzählen könnte ...

Stellen Sie sich vor, ein Haus könnte Ihnen erzählen, was früher darin schon so alles passiert ist, und Sie müßten sich daraufhin entscheiden, ob Sie dieses Haus kaufen oder nicht kaufen möchten. Weder die Lage, das Aussehen noch sonst ein Kriterium würde für Ihre Entscheidung sonst eine Rolle spielen.

Stellen Sie sich nun vor, das Haus erzählt Ihnen von Streit, von Neid, von Scheidung und Krankheit, die unter den vorherigen Bewohnern geherrscht haben. Sie würden sich vermutlich bei dem Haus für seine Ehrlichkeit bedanken und sich dann ein Objekt suchen, das von Liebe, Zufriedenheit, Glück und nicht zuletzt auch von Reichtum erzählt. Meist ist es allerdings so, daß die Vergangenheit eines Hauses gute und weniger gute Ereignisse in bunter Mischung enthält. Forscht man ein wenig nach, so finden sich meistens Zusammenhänge zwischen neueren Bauwerken aus der Nachbarschaft (Häusern, Laternenmasten, Straßenveränderungen) und Veränderungen der Lebensqualität im Haus. In einem solchen Fall ist der Zyklus der 5 Elemente verändert worden.

Ein weiterer Grund für eine negative „Haus-Historie" könnte mit den berühmt-berüchtigten Erdstrahlen zu tun haben. Obwohl 80 % der angeblichen Wasseradern in Wirklichkeit Bodenverwerfungen sind (zwei verschieden harte Gesteinsschichten treffen aufeinander und reiben sich, bis die schwächere Schicht nachgibt), macht diese Tatsache das Ganze nicht sympathischer. Die Auswirkungen auf den Menschen sind in etwa die gleichen. In einem Wohnblock haben normalerweise alle übereinander liegenden Wohnungen die gleichen Grundrisse, und die Menschen schlafen wie im Kajütenbett, lediglich durch die Decken voneinander getrennt, übereinander. Ist nun eine Schlafzone „gestört", so ist diese Störung überall die gleiche, ob Sie nun im ersten oder im fünften Stock wohnen.

Traurige Berühmtheit hat dieses Phänomen durch die sogenannten „Krebshäuser" erlangt, in denen entweder zahlreiche Bewohner – unabhängig von ihrem Naturell – an der gleichen Form von Krankheit gelitten haben, oder aber über Generationen hinweg immer wieder die gleiche Krankheit in einer Familie auftrat. Sollte Ihr Haus potentielles Opfer solcher Erdstrahlen sein, empfiehlt es sich auf jeden Fall, das Gebäude mit Pendel oder Rute abzugehen, um einen besseren Überblick über die Lage zu erhalten.

Natürlich sind nicht immer Erdstrahlen schuld, wenn Menschen streiten oder die Geschäfte schlecht gehen. Wir alle kennen die

Aussage: „ich wußte ja, daß das nicht gut gehen konnte". Vielleicht waren zwei Menschen einfach nur zu verschieden, hatten verschiedene Vorstellungen vom Leben und der Zukunft, oder ein Geschäftsmann hatte reihenweise Fehler gemacht und dafür eines Tages die Quittung erhalten, so daß er sein Geschäft wieder schließen mußte.

Wenn Sie nun eine solche Wohnung oder ein solches Geschäft übernehmen, so erhalten Sie als kostenlose Beigabe etwas, worauf Sie mit Sicherheit verzichten könnten. Es ist der „seelische Müll", der in diesen vier Wänden zurückgelassen wurde. Schlechte Erinnerungen werden nicht mitgenommen, sie haben keinen Platz mehr im Leben des Vormieters. Wo also sollen diese Erinnerungen bleiben? Sie haften an dem Ort fest, der mit ihrer Entstehung verbunden ist und überschatten den Alltag des neuen Mieters. Der Raum strahlt dann eine fühlbar schlechte Schwingung aus und die meisten von uns spüren das auch sehr deutlich. Oft hilft schon eine frische, helle Farbe, aber Feng Shui hält noch eine weit bessere Methode bereit, die ich Ihnen wärmstens empfehlen kann:

Die Reinigung der Räume

Damit ein Raum wieder frei „atmen" kann, braucht er frische Luft und zusätzlich Unterstützung, damit er seine alten, belastenden Eindrücke loswerden kann. Als erstes lüften Sie gut durch. Anschließend folgt ein sehr wirkungsvolles Ritual, das Sie bitte mit viel Liebe und Sorgfalt ausführen möchten:

Dazu benötigen Sie folgende Requisiten: neun Orangen und eine Glasschale, zu einem Drittel gefüllt mit frischem Wasser. Die Schalen aller Orangen geben Sie nun ins Wasser und kneten sie sanft durch. Verspritzen Sie nun etwas von diesem Wasser im ganzen Raum und stellen Sie die Schüssel irgendwo in der Mitte des Zimmers auf den Boden. Wenn die ganze Wohnung gereinigt werden soll, stellen Sie die Schale in der Mitte des Wohnzimmers auf. Einen Tag später verteilen Sie das restliche Wasser im Raum und lassen es wiederum 24 Stunden wirken. Falls in den Räumen Teppiche liegen, ist es sehr ratsam, das gewonnene Wasser sparsam zu verteilen, da die Orangen Flecken hinterlassen. Vergessen Sie auch die Fensterbänke im Inneren der Wohnung nicht.

Nach zwei Tagen wird sich in diesem Raum spürbar etwas Besonderes ereignet haben. Abgesehen von der Tatsache, daß alles wunderbar duftet, scheint es, als ob der Raum heller geworden sei.

Er beginnt wieder zu strahlen und zu leuchten wie ein Mensch mit glücklichen, leuchtenden Augen.

Die Orangen selbst dürfen Sie übrigens getrost verzehren und die Schalen nach den zwei Tagen entsorgen.

Wenn Sie nun tatsächlich beabsichtigen, ein Haus zu kaufen, nehmen Sie sich die Zeit und erkundigen Sie sich nach seiner Vergangenheit. Denn diese Vergangenheit könnte ein Teil Ihrer eigenen Zukunft werden.

Ihr persönlicher Chi-Test

Dies ist ein ganz einfacher Test, mit dessen Hilfe Sie unmittelbar erkennen können, ob eine Situation oder Begebenheit gut ist oder nicht. Grundsätzlich geht es nicht um die Punktzahl, die Sie am Schluß erreichen (denn diese spiegelt nur das Gesamtbild wieder); viel wesentlicher ist es, zu wissen, wo und in welchem Ausmaß Veränderungen sinnvoll sind, und was der Grund dafür ist, warum Sie Minus-Punkte „kassiert" haben.

Es ist kaum möglich, überall die maximale Punktzahl zu erreichen, vor allem dann nicht, wenn man als Mieter gewisse Strukturen einfach akzeptieren muß. Aber auch diese negativen „Erblasten" einer Wohnung können manchmal mit recht einfachen Mitteln entschärft werden.

Jede/r von uns hat so seine Vorstellungen darüber, wie er/sie leben und sich einrichten würde, wenn unbegrenzte finanzielle Mittel vorhanden wären. Bitte beantworten Sie vor allem die Fragen 1–5 unter Berücksichtigung Ihrer tatsächlichen und realistischen Möglichkeiten, denn auch eine kleine Mietwohnung oder eine sehr einfache Einrichtung kann eine wunderbare Chi-Atmosphäre ausstrahlen.

Nun wünsche ich Ihnen viel Vergnügen beim Chi-Test

1. Wie gefällt Ihnen Ihr Zuhause?
+ 2   sehr gut
+ 1   gut
- 1   nicht sonderlich
- 2   gar nicht

2. Kommen Sie gerne nach Hause?
+ 2   ja, sehr gerne
+ 1   ja, meistens schon
- 1   zweckgebunden, vor allem zum Schlafen
- 2   nicht sonderlich

3. Wie gefällt Ihnen Ihre Einrichtung?
+ 2   sehr gut, sehr angenehm
+ 1   zum größten Teil ist sie zufriedenstellend
- 1   an vielen Stellen könnte noch etwas verbessert werden
- 2   sollte dringend verändert werden

4. Gibt es Möbel, Lampen oder Bilder, die Sie aus folgenden Gründen gerne ersetzen würden?
- 1* weil sie veraltet sind
- 2* weil sie defekt sind
- 2* weil sie von jemandem stammen, an den Sie nicht mehr erinnert werden möchten
       * Punktzahl pro Raum, maximal -6 Punkte

5. Gibt es Möbel, Lampen oder Bilder, die Sie gerne ersetzen würden und für die Sie bereits nach Ersatz Ausschau halten?
+ 1* Es ist noch nicht klar, wie die neue Einrichtung sein wird, aber es werden diesbezüglich bereits Pläne gemacht
+ 2* ja, die Suche nach der neuen Einrichtung ist bereits in die aktive Phase getreten
       * Punktzahl pro Raum, maximal +6 Punkte

6. Führt eine gerade Straße auf Ihre Eingangstüre zu?
- 2   ja
- 1   der Eingang ist parallel zur Straße
+ 2   nein, der Weg zum Eingang ist kurvig

7. Ist gegenüber Ihrer Eingangstüre ein Laternenpfahl, ein Masten, ein Straßenschild oder ein großer Baum?
- 2   wenn ja

8. Wohnen Sie neben einer Kirche, einer Polizeistation oder einem Nachtlokal?
- 2   wenn ja

9. Ist Ihre Eingangstüre größer als die übrigen Wohnungstüren?
+ 2   ja
+ 1   nein, aber an der Außenseite ist rechts und links etwas aufgehängt, eine Blume oder eine sonstige Umrahmung plaziert
- 1   gleich groß wie alle anderen Türen
- 2   sie ist nicht die größte Türe

10. Haben Sie Pflanzen?
+ 2   ja, diverse schöne, gesunde Pflanzen
+ 1   ja, ein paar wenige, die alle gesund sind
- 1   nein
- 2   ja, aber die meisten sind krank oder erbärmlich dünn

11. Wenn Sie aus den Fenstern blicken, sehen Sie auf Bäume und Wiesen?
+ 2   ja, es gibt rund ums Haus Pflanzen und Bäume
+ 1   ja, auf einer Seite ist eine schöne Vegetation
- 1   ja, allerdings ist es nur eine ganz minimale Grünbepflanzung
- 2   nein, vom Fenster aus sehe ich weder Büsche oder Bäume noch Wiesen

12. Wenn Sie aus den Fenstern blicken, sehen Sie auf fließendes Wasser?
+ 2   ja, auf einen langsamen Fluß, einen See, einen Brunnen
- 2   ja, auf einen Fluß oder See, der allerdings schmutzig ist und in dem nicht gebadet werden kann.

13. Welche Lichtquellen hat Ihr Eingang?
+ 2   natürliches Tageslicht und am Abend Kunstlicht
- 2   immer Kunstlicht (Lampen)

14. Liegt genau gegenüber der Zimmertüre ein Fenster?

- 2   ja, man kann direkt von der Türe zum Fenster gehen.
+ 1   ja, aber vor den Fenstern hängen Windglockenspiele, oder schulterhohe Möbel/ein Paravent unterteilen die Distanz
+ 2   nein
      * Punktzahl für jeden Wohn- und Schlafraum

15. Steht in der Küche die Spüle direkt neben dem Herd?

+ 2   nein, dazwischen ist eine Ablagefläche mit Metall oder in weiß
+ 2   nein, die Geräte stehen an ganz verschiedenen Stellen
- 1   nein, dazwischen ist eine Ablagefläche, allerdings weder mit Metall noch in weiß
- 2   ja, die beiden Teile sind direkt nebeneinander

16. Haben Sie Abflüsse, die öfters verstopfen oder überlaufen?

- 2   ja

17. Haben Sie in der Küche folgende Farbschattierungen:

+ 2   Gelb- und Grüntöne
+ 1   Weiß- der Rottöne

18. Stößt Ihre Badezimmerwand direkt an die Küche oder das Schlafzimmer?

- 2   ja

19. Können Sie aus einem Raum direkt auf die Toilette blicken?

- 2   ja, aus Küche, Wohnzimmer oder Schlafzimmer
- 1   ja, vom Korridor
+ 1   theoretisch ja, aber die Badezimmertüre/WC-Türe ist immer geschlossen
+ 2   nein

20. Tropfen Ihre Wasserhähne?

- 2*   ja
      * Punktzahl pro Wasserhahn

21. Haben Sie Dachbalken oder Überhängeschränke über dem Eßzimmer- oder Küchentisch?

- 1   ja, eines von beiden
- 2   ja, beides

22. Haben Sie Dachbalken über Ihrer Sitzgruppe?
- 1   ja

23. Haben Sie Dachbalken über Ihrem Bett?
- 1   ja, über dem Beinbereich
- 2   ja, über dem Kopf- oder Brustbereich

24. Haben Sie hinter Ihrem Lieblings-Sitzplatz eine Wand?
+ 2   ja
+ 1   nein, aber ein Regal, allerdings etwas zurückversetzt
- 2   nein, der Rücken ist frei

25. Befindet sich Ihr Schlafzimmer über einem unbewohnten Raum wie einer Garage oder einem Abstellraum?
- 2   ja

26. Wenn Sie im Bett liegen, wie können Sie die eintretenden Personen erkennen?
+ 2   ohne den Kopf um mehr als 45° zu drehen
- 2   indem ich den Kopf um mehr als 45° drehen muß

27. Wenn Sie im Bett liegen und jemand zur Türe hineinkommt, sehen Sie ...
+ 1   erst die Türe, die aufgeht, und dann die Person
- 1   direkt auf die eintretende Person; die Türe ist in ihrem Rücken

28. Wenn Sie sich im Bett aufsetzen, sehen Sie sich dann im Spiegel?
- 2   ja, direkt vor mir
- 1   ja, auf der Seite des Bettes, rechts oder links

29. Befindet sich hinter dem Kopfteil des Bettes ein Schrank oder ein hohes Regal?
- 2   ja

30. Befindet sich hinter dem Bett eine Kopfteilabrundung, die zwischen 30 und 60 cm hoch ist?
+ 2   ja

Werten Sie nun Ihren Chi-Test mit Sorgfalt aus. Die Gesamtpunktzahl spielt hier keine wesentliche Rolle. Viel wichtiger ist das Erkennen gewisser Grundtendenzen und Einrichtungsdetails, bei denen es in Ihrem Heim „hapert". Lösungen für die somit ausfindig gemachten Problemzonen finden Sie im folgenden Kapitel.

Auswertung des Chi-Tests

mehr als 20 Punkte
Sie dürfen eigentlich rundum zufrieden sein und das ist Ihnen sicherlich auch bewußt. Ich hoffe allerdings trotzdem, daß Sie in diesem Buch noch weitere, neue Anregungen finden werden, die Sie integrieren und für sich nutzen können.

5 – 20 Punkte
Leider ist es oft so, daß das Resultat im negativen Bereich mehr vom Bauherrn als von uns selbst verursacht ist. Da liegen sich Fenster und Türen gegenüber, und jedesmal haben Sie nun dafür 2 Minuspunkte erhalten. Das ist eine sehr unfaire Ausgangslage, aber für Sie ist die Situation Realität, die Sie jedoch bald zu Besseren wenden können. Wenn die Minuspunkte stärker auf Ihr eigenes Konto gehen, so haben Sie jetzt bereits schon einige Anregungen. Mehr dazu gleich im folgenden Kapitel.

Weniger als 5 Punkte und im Minusbereich
Hier haben vermutlich der Bauherr und Sie zusammen ganz schön viel „angestellt", um dem Zuhause ohne böse Absicht den Charme und die Wärme zu nehmen. Dies möchten Sie nun ändern, und mit diesem Buch halten Sie ein hervorragendes Werkzeug dafür in den Händen. Sie stehen nun auf der ersten Stufe einer neuen Treppe in Ihrem Leben – und ab jetzt geht es aufwärts.

Falls Sie gerade sowieso einen neuen Lebensabschnitt begonnen haben und daher noch viel im Unklaren ist, überstürzen Sie nichts. Beginnen Sie allmählich mit sanften Umgestaltungen. Wiederholen Sie diesen Test bei Gelegenheit, durch die Verbesserung in einigen Punkten wird sich das Resultat sicherlich zum Positiven hin geändert haben.

Teil 2

Nun lassen wir die Räume erwachen

Das Wohnhaus

Wenn Sie jemanden zum ersten Mal besuchen, so betrachten Sie ganz spontan das Haus, in dem die Person wohnt und bilden sich anhand Ihrer Beobachtungen – und sei es auch nur unbewußt – bereits eine Meinung über Ihren Gastgeber.

Damit Sie einen Zugang zu einem Haus finden, brauchen Sie eine Eingangstüre. Diese kann sich vorne, auf den Seiten oder auch hinter dem Haus befinden und durch Vorbauten offensichtlicher oder verborgener gemacht sein. Wenn Sie nun zu einem Haus gelangen, dessen Eingang Sie erst suchen müssen, wird Ihnen das Haus (und damit die Bewohner) automatisch etwas suspekt erscheinen. Oft werden im Laufe der Zeit die Funktionen der Türen neu verteilt, und eine ehemalige Hintertüre wird zum Haupteingang, oder ein Durchgang von der Garage ins Wohnhaus wird häufiger genützt als die reguläre Eingangstüre. An Hanglagen gebaute Häuser sind oft von der oberen Seite zugänglich, was ein völlig falsches Bild vom Haus vermittelt. Es wirkt klein, manchmal erdrückend und einstöckig, obwohl es von unten gesehen über 2 oder 3 Stockwerke verfügt. Wann immer die Möglichkeit besteht, das Haus so zu zeigen, wie es wirklich ist, sollte alles unternommen werden, um es in seiner besten Seite zu präsentieren.

Der Eingang

Der Eingang hat im Feng Shui einen ganz speziellen Stellenwert, er ist die absolute Nummer 1 unter allen Türen. Für die Chinesen hat jedes Haus ein Gesicht: Die Fenster entsprechen den Augen und die Eingangstüre dem Mund, durch den der Atem ins Innere strömt. So kann das Haus leben und belebt werden. Da die Eingangstüre die wichtigste von allen Türen ist, darf und sollte sie auch die größte von allen Türen sein.

Auf jede Eingangstüre führt ein Weg oder eine Straße zu – manchmal eindeutig erkennbar, aber auch große Parkplätze, Fußgängerzonen, Gehsteigverbreiterungen und ähnliches können den Bereich vor dem Eingang flankieren. Zweigt ein Weg von einer Straße ab, um zur Haustüre zu gelangen, so muß er gebogen, geschwungen oder kurvig sein. Sanfte Formen bringen Chi; auf geraden Wegen kommt die Energie in Form von Sha.

Telefonmasten, Straßenlaternen und ebenso Bäume, die direkt auf einen Eingang weisen, werden ebenfalls als Sha-Quelle angesehen. Das gleiche gilt für Treppen, die direkt auf eine Eingangstüre zuführen. Hier geht die Empfehlung dahin, rechts und links der Türe etwas positives aufzustellen, wie Pflanzen oder, falls vorhanden, einen konvexen (nach außen gewölbten) Spiegel, damit das Sha nicht eindringen kann.

Zahlreiche Häuser verfügen über mehr als eine Eingangstüre, und nicht selten wird im Laufe der Zeit eine Hintertüre zum Haupteingang gemacht. Für die Bewohner hat das sicherlich seine Vorteile. Da aber nach Feng Shui jedes Haus ein Gesicht hat und die Eingangstüre den Mund symbolisiert, verliert das Haus seine ganz persönliche Orientierung, wenn es nicht mehr „weiß", wo sich sein Mund befindet. Daher ist es für das Wohlergehen des Hauses unbedingt notwendig, den neuen Eingang mit Hilfe eines klar erkennbaren Weges zugänglich zu machen und ihn, wenn möglich, zu beleuchten. Zusätzlich ist es sinnvoll, den früheren Haupteingang, falls er nicht mehr genutzt wird, so zu verschließen und zu verkleinern, daß jeder Besucher sofort zur neuen Eingangstüre geführt wird.

Auf jeden Fall ist es wichtig, daß die Eingangstüre, wo immer sie sich auch befindet, in einen hellen Raum führt, der so intensiv wie möglich das Gefühl von Weite und Offenheit vermittelt.

Auch ein Haus hat seinen Stolz und möchte zeigen, wie schön es ist.

Der Vorbau

Vor allem bei älteren Häusern befindet sich vor dem Eingang eine Art Vorbau, manchmal sogar noch mit einer Türe versehen, damit die Wärme im strengen Winter besser gehalten werden kann. Bei neueren Gebäuden ist der Vorbau eher in Form eines kleinen Zusatzdaches anzutreffen, manchmal auch mit zusätzlichen kleinen Seitenwändchen versehen. Der Vorbau bietet Schutz bei Wind und Regen, und der Heimkommende oder Besucher fühlt sich sehr angenehm empfangen. Bei Regen kann der Schirm geschlossen und weggestellt werden, und die Schlüssel können in Ruhe und ohne Hetze aus der Tasche geholt werden. Dieser kleine Vorbau symbolisiert so viel Liebe und Wärme gegenüber dem Bewohner und den Gästen, daß sich fast schon die Frage aufdrängt, wieso es überhaupt Häuser gibt, die ohne gebaut worden sind.

Türen und Fenster

Türen (auch die Eingangstüre) haben immer eine doppelte Funktion. Zuerst geben sie uns die Möglichkeit, einen Raum zu betreten, dann sind sie ein Eingang. Später können wir den Raum wieder verlassen, dann sind sie unser Ausgang. Aus diesem Grunde müssen wir die Türen von beiden Seiten betrachten, und keine der beiden Richtungen ist weniger wichtig.

Wo die Türe als Eingang dient, sollte sie nach innen, in den Raum hinein, geöffnet werden können, damit das Chi einfließen kann. Je weiter eine Türe geöffnet werden kann, um so besser ist es. 180° ist der ideale Öffnungswinkel, aber allerdings nicht sehr häufig anzutreffen. Die meisten Türen lassen sich um gut 90° öffnen, und das genügt grundsätzlich vollauf. Allerdings stellt es beim Feng Shui ein absolutes Tabu dar, hinter einer Tür ein Möbelstück zu plazieren, wenn damit der Öffnungswinkel der Tür verkleinert wird. Je kleiner dieser Winkel ausfällt, desto weniger Chi kann in den Raum einfließen.

Wenn Sie den Raum durch die Tür wieder verlassen, wird Ihnen der größte Teil des Chi nicht folgen. Das Meiste fließt über die Fenster wieder hinaus, so daß ein kontinuierlicher Fluß an neuem Chi den Raum (wie frische Luft) von neuem belebt.

Die Türgrößen haben ebenfalls einen besonderen Stellenwert und falls in Ihrer Wohnung verschieden große Türen zu finden sind, gilt folgende Grundregel: Große Türen sind wichtige Türen für „Versammlungsorte" bei Kirchen, Kathedralen oder Bahnhöfen und im privaten Rahmen primär für die Eingangstüre und anschließend für das Wohnzimmer und das Eßzimmer. Kleine Türen wirken bescheiden und sind daher ideal geeignet für Toiletten und Badezimmer.

Fenster sind die Augen eines Hauses und markieren für uns jene Öffnungen, durch die wir in die Welt hinaus sehen können. Fenster, und seien sie auch noch so klein, sollten auf jeden Fall geöffnet werden können. Wo Glas allerdings eine Mauer ersetzt und als Schutz und Abgrenzung dient (z. B. bei Wintergärten), ist die Voraussetzung wieder eine ganz andere und entsprechend ist auch keine Notwendigkeit des Öffnens gegeben. Wenn ein Fenster nach innen aufgeht, wirkt dies einladend, heimelig und kuschelig. Das Gegenteil bewirken Fenster, die nach außen aufgehen. Sie sind ausladend, wirken großzügig und integrieren zusätzlichen Außenraum in den erweiterten Einflußbereich des Hauses.

Fenster sind die Stelle, an der das meiste Chi aus der Wohnung entweicht. Dies ist aber äußerst positiv. Mit dem Chi geschieht das gleiche, wie wenn Sie die Fenster öffnen, damit frische Luft in die Räume gelangen kann. Nur wenn genügend Platz vorhanden ist, daß neue, kraftvolle, unverbrauchte Energie nachfließen kann findet eine Erneuerung statt. Ansonsten wird das Chi in Ihrer Wohnung „alt" und somit dreht sich die Energie zu Sha.

Treppen, Galerien und Decken

Chi steigt und Sha sinkt.
Das Gute bewegt sich also nach oben,
während das Schlechte in die Tiefe sinkt.
Das Gute bewegt sich in sanften Formen,
und das Schlechte fließt geradlinig.

Aus diesen Grundsätzen über das Verhalten der Energie kann man die ideale und die negative Form einer Treppe bereits vollständig ableiten. Eine gebogene Treppe ist auf jeden Fall besser als eine geradlinige. Eine etwas zu stark gewundene Treppe (Wendeltreppe) gleicht allerdings dem innersten Kreis eines Wirbelsturms, daher herrscht bei solchen Treppen auch eine potentiell erhöhte Unfallgefahr. Bei manchen großen öffentlichen Gebäuden befinden sich außen zwei Treppen, die zu einem erhöhten Eingang führen, eine von rechts und eine von links. Die Chinesen nennen diese Bauweise „die gespaltene Zunge einer Schlange" und meinen damit, daß viel üble Nachreden, Lügen und Unwahrheiten in diesem Gebäude stattfinden werden.

Die schlimmste Treppen-Variante, die aus Sicht von Feng Shui gebaut werden kann, ist die V-Form, bei der die Treppen in verschiedene Etagen führen. Dies bedeutet: Während auf der einen Seite die Treppe nach oben führt, ist vom gleichen Angelpunkt aus eine Treppe nach unten angebaut. Die eintretende Energie wird dadurch zuerst halbiert, so daß nicht mehr sehr viel Chi nach oben fließen kann. Zudem wird die zweite Hälfte der Energiemenge durch die Abwärtsbewegung automatisch zu Sha. Die Treppe nach unten sollte daher mit einer Türe verschlossen werden, damit die gesamte eintretende Energie automatisch nach oben geleitet wird und sich gar nicht erst teilen kann.

Decken sind der Himmel eines Gebäudes; Sie sind sie unser ganz privates Firmament. Je höher die Decke, desto weiter scheint uns der Raum. Wenn draußen die Sonne scheint, ist der Himmel hell und stimmt uns fröhlich und zufrieden. Das gleiche gilt auch für unsere Decken: helle Farben hellen unser Gemüt auf, dunkle Farben wirken erdrückend. Schräge Decken wirken wie ein schiefer Himmel, daher sind hier Farben in den Tönen des „Abendrots" oder eines sanften „Sonnenaufgangs" an der verkürzten Seitenmauer der ideale optische Ausgleich, damit das Weltbild wieder „ins Lot" gerät.

Galerien stellen sehr oft eine Gratwanderungen zwischen etwas extrem Positivem und extrem Negativem dar. Sie verleihen einem Raum eine zusätzliche, außergewöhnliche Höhe, denn der Boden zwischen zwei Stockwerken ist teilweise entfernt worden. Eine Galerie vermittelt immer ein Gefühl von Freiheit und Weite, strahlt eine enorme Kraft aus und stärkt das Selbstwertgefühl. Eine Galerie zeigt aber auch, daß „man es nicht nötig hat", den ganzen Raum zu verbauen. Daher sollte die Größe einer Galerie unbedingt den Proportionen des ganzen Hauses oder der Wohnung angepaßt sein. Wenn überall alles mit Möbeln überfüllt ist, weil akuter Platzmangel herrscht, oder wenn das Gesamtbild in den anderen Räumen überladen wirkt, erscheint das Anbringen einer Galerie als „Größenwahn". Da das Haus und seine Bewohner immer „als Einheit" betrachtet werden, könnten Besucher in einem solchen Falle einen eher zwiespältigen Eindruck mitnehmen. Daher gilt hier ein ganz einfacher Grundsatz: eine Galerie ist immer ein Luxus. Wer über genügend anderen Raum verfügt und die Möglichkeit hat, sich diesen Luxus zu gönnen, kann davon in vollsten Umfang profitieren. Wem der Raum jedoch fehlt, sollte man eine kleine Galerie vorziehen oder lieber ganz darauf zu verzichten, anstatt einen falschen Eindruck zu provozieren.

Das Wohnzimmer

Das Wohnzimmer nimmt im Haus eine Sonderstellung ein. Es ist als einziger Raum keinem Element zuzuordnen, denn es sind die Bewohner, die hier ihre unterschiedlichen Bedürfnisse in den Raum einfließen lassen. Wer musisch, künstlerisch und schöpferisch tätig ist oder gerne plaudert und Besuch hat, wird dem Element Wasser = Kommunikation und Künste (mit den Farben schwarz, blau und hellblau sowie dem Material Glas) den Vorrang geben. Wer sich nach Ruhe sehnt und im Wohnzimmer alles, nur keine Überraschungen und keine Hektik wünscht, wird automatisch das Element Erde (gelb, braun und goldfarben) einsetzen. Eine junge Familie allerdings freut sich über das Wachstum der Kinder, daher stehen hier grün, lila und violett sowie Holz und bunte Materialien im Mittelpunkt.

Rot steht für das Element Feuer und symbolisiert das Streben nach Höherem und nach intellektueller Weiterentwicklung. Wer sein Wohnzimmer vorwiegend zum Lesen und zu Bildungszwecken nützt, ist mit dieser Farben sehr gut beraten. Die Farbe Rot finden wir übrigens auch im Mahagoni-Holz; dies ist sicherlich einer der Gründe dafür, warum dieses mittlerweile geschützte Holz so gerne für Sekretäre und vollständige private Bibliotheken gebraucht wurde. Nur das Element Metall (weiß, grau und silber) ist für das Wohnzimmer vollkommen ungeeignet. Bei diesem Element drehen sich die Gedanken vorwiegend um Geld, und das private Leben hat doch so viel mehr zu bieten. Die weiße Farbe, die gerne für Wände und Decken verwendet wird, steht auch für den hellen Himmel. Im Wohnzimmer sollte allerdings ein starker Kontrast mit Hilfe von Bildern geschaffen werden, wenn zuviel Weiß an den Mauern vorherrscht.

Die Küche

Früher war die Küche der wärmste Ort in einer Wohnung, weil auf einem Ofen mit Holz gekocht wurde und keine weiteren Heizungen existierten. Daher gilt die Küche noch heute als Herz einer Wohnung, auch wenn sich der Lebensmittelpunkt inzwischen in zunehmendem Maße in das Wohnzimmer verlagert hat. (Eine alte Feng-Shui-Regel besagt, daß der Herd nie an einer Außenwand stehen darf. Zu dieser Zeit war die Temperatur einer Wohnung (= das wärmende Chi) vom Standort des Herdes abhängig.

Aus der Küche kann es angenehm duften, aber auch das Gegenteil kann der Fall sein. Daher ist die Küche – neben dem Bad – derjenige Ort, an dem die Türe stets geschlossen sein sollte. Moderne Küchen verfügen alle über einen Abzug, der während des Kochen die Luft erneuert. Zumindest aber kann ein Fenster geöffnet werden. Ein weiteres Problem in Küchen sind das verschmutzte Geschirr und die gebrauchten Töpfe, die ebenfalls einen gewissen Geruch in der Wohnung verbreiten können. Daher empfiehlt es sich, den Abwasch einfach umgehend zu erledigen.

Ein weit größeres Problem ist das Zusammentreffen von zwei Elementen, die einander gegenseitig zerstören: Feuer (Kochherd) und Wasser (Spüle). Um diese beiden Kräfte vom Negativen zum Positiven zu wandeln, wird die verbindende Hand des Elements Metall gefordert. Werden Spüle und Herd um mindestens 50 cm getrennt und dazwischen ein Möbelstück plaziert, das entweder weiß ist oder über eine Metall-Abdeckung verfügt (Element Metall), so ist die zerstörerische Kraft der beiden Elemente nicht nur gebrochen sondern eine aktivierende und aufbauende Harmonie wird in Fluß gebracht.

Die Türe im Rücken ist in keinem Raum angenehm, und in der Küche, wo mit Feuer, scharfen Messern und Wasser hantiert wird, stellt sie ein nicht unwesentliches Gefahrenpotential dar. Je gefährlicher eine Tätigkeit ist, desto mehr muß für die Sicherheit der Person getan werden. Wenn Sie keine Möglichkeit haben, die Küche umzugestalten, dann kann Ihnen ein Spiegel an der Küchenzeile wieder den nötigen Überblick verschaffen. Eine moderne und ziemlich negative Gestaltungsform ist das freie Aufhängen von Töpfen und Messern. Obwohl dieses Küchen-Outfit einen professionellen Eindruck hinterläßt, ist es für die darin befindliche Person, als ob sie unter einer riesigen Guillotine arbeiten würde. Daß in einem solchen Ambiente weder die Freude am Kochen noch die Inspiration gefördert wird, versteht sich von selbst.

Sehr oft werden im Feng Shui bei Küchen die Himmelsrichtungen der Trigramme empfohlen. Das bedeutet: die Nordrichtung für das Element Wasser und die Südrichtung für den Herd. Allerdings müßten bei dieser Bauweise die heißen Töpfe quer durch den Raum balanciert werden, was wieder neue Gefahren mit sich bringt. Daher gehen zur Zeit die meisten Ratschläge dahin, die Küchenzeile über Eck zu konstruieren und für das Wasser-Element die Westseite als praktikable Alternative zur Nordseite zu wählen.

Als ungünstig gilt ferner:
- wenn die Küchenwände an das Schlafzimmer grenzen.
- wenn sich die Küchentüre gegenüber der Badezimmer-, Schlafzimmer-, oder Eingangstüre befindet.

Das Bad

Am Morgen tappen wir alle verschlafen ins Badezimmer, und wenn wir es wieder verlassen, „erstrahlen" wir in neuer Frische, sind gepflegt und wach. Am Abend deponieren wir den Schmutz des Tages und die gebrauchte Wäsche im Badezimmer, bevor wir uns zur Ruhe begeben und uns regenerieren.

Das Badezimmer stellt eine Drehscheibe der Chi- und Sha-Energien dar, wobei das Resultat eindeutig zu unseren Gunsten ausfällt. Daher hat das Badezimmer, das uns so viel Schmutz und Sha abnimmt, auch eine besonders gute Behandlung verdient.

Wir kennen drei Arten von Chi, die viel Positives in einem Raum bewirken, und dazu gehören Luft, Wärme und Licht. Das Badezimmer sollte mit allen dreien genügend versorgt werden. In der Praxis sieht es jedoch ganz anders aus. Lassen wir diese drei Formen des Chi wieder stärker fließen, so können Sie enorm viel verändern und bewirken.

Als ungünstig gelten ferner,
- wenn die Badezimmerwände an ein Schlafzimmer grenzen.
- wenn das Badezimmer sich in der Mitte einer Wohnung befindet, oder wenn es keine Fenster hat.
- wenn sich die Badezimmertüre gegenüber von Küchentüre, Schlafzimmer, oder Eingangstüre befindet.

Toilettendeckel haben sich mit einer ungewöhnlich starken Zielstrebigkeit ins Zentrum zahlreicher Feng-Shui-Diskussionen gestellt. Die Empfehlung, die Toiletten-Deckel geschlossen zu halten, ist geradezu zu einem Markenzeichen von Feng Shui geworden, ungleich populärer als zahlreiche andere wesentlich grundlegendere Inhalte dieser Lehre. Es gibt zahlreiche Begründungen dafür; die sicherlich einleuchtendste ist, daß man den Ablauf des verunreinigten Wassers nicht sehen sollte. Weiter bedeutet Wasser auf der symbolischen Ebene Geld, und verschmutztes Wasser ist in etwas gleich zu setzen mit verlorenem, falsch investiertem und verspieltem Geld. Ich persönlich gehe allerdings davon aus, daß der wirkliche Anlaß für diesen Ratschlag schon viele Jahrhunderte zurückliegt und aus einer Zeit stammt, in der es noch keine Kanalisationen gab. Auch in unseren Breiten wurden über die Außentoiletten und alle „Vorgängermodelle" Bretter gelegt – aber hauptsächlich wegen der Gerüche und der Insekten, die davon magisch angezogen wurden.

Die Trennung von Reinem und Unreinem scheint mir in jedem Fall sehr sinnvoll, allerdings ganz bewußt unter dem Aspekt, den Wohnbereich mit Hilfe des Toilettendeckels vom unterirdischen Kanalisationsbereich zu trennen.

Das Schlafzimmer

Das Schlafzimmer stellt einen ganz besonderen Anspruch an uns: Es möchte nicht das schönste Zimmer in der Wohnung sein, sondern dasjenige mit dem besten Standort.

Das Schlafzimmer dient uns zur Erholung und zur Regeneration. Schlaf ist für uns lebenswichtig, wenn er fehlt oder wenn diesbezüglich ein Defizit entsteht, werden wir Menschen ungenießbar. Im Schlafzimmer benötigen wir Ruhe, von außen wie von innen. Die äußere Ruhe ergibt sich durch den Standort der Wohnung und des Schlafzimmers. Wenn Sie neben einem nachtvergnüglichen Lokal, einer Polizeistation oder einem Spital wohnen, wird Ihre Nachruhe garantiert negativ beeinflußt. Liegt Ihr Schlafzimmer neben der Eingangstüre, so können auch Nachbarn oder Familienmitglieder zu belastenden Nachtruhestörern werden.

Doch sehr oft kommen die negativen Einflüsse nicht von außen, sondern sind „hausgemacht" durch die Wahl des Standorts für das Bett und die Art der Möblierung. Das Herzstück jedes Schlafzimmers ist das Bett. Ganz wesentlich ist seine Plazierung, die in direkter Abhängigkeit von Türen und Fenstern steht.

Die wichtigsten Kriterien für den Standort des Bettes sind:
- Liegen sich Türe und Fenster gegenüber, so entsteht ein „Energie-Durchzug", dem man auf jeden Fall ausweichen sollte.
- Das Kopfende des Bettes sollte an einer schützenden Wand stehen.
- Befindet sich das Kopfende unter einem Fenster, müssen die Jalousien zum Schlafen geschlossen werden.
- Vom Bett aus sollten Sie die eintretenden Personen erkennen können, ohne den Kopf um mehr als 45° drehen zu müssen.
- Ist ein Badezimmer dem Schlafzimmer angeschlossen, muß der Einblick vom Bett aus verunmöglicht werden.

Die Möblierung hat einen großen Einfluß auf den Energiefluß innerhalb jedes Zimmers, und gerade im Schlafzimmer sollten deshalb die Strömungen so sanft wie möglich verlaufen.

Die wichtigsten Kriterien für
die Möblierung im Schlafzimmer sind:
- Gegenüber der Eingangstüre oder einem Fenster darf auf keinen Fall ein Spiegel hängen, da er die Energien reflektiert. Das Bett darf unter keinen Umständen in einem der aufgehängten Spiegel sichtbar sein. (Meist sind sämtliche Spiegel ungünstig plaziert, mehr darüber im Kapitel Spiegel.
- Keine Lampen über dem Bett. Dies gilt nicht nur für Deckenlampen, sondern auch für die Wandlampen – die aber seitlich des Bettes absolut in Ordnung sind.
- Hinter dem Kopfteil hat der Schrank für die Bettüberzüge als einziges Möbelstück eine positive Wirkung auf den Schlafenden; allerdings sollte das Möbel auch nicht mehr als 30-50 cm höher sein als das Bett.
- Keine offenen Regale hinter dem Kopfteil des Bettes. Negativ wirkt auch ein in eine Schrankwand integriertes Bett, vor allem, wenn der Schrank die gesamte hintere Wand füllt.
So wenig Möbel wie möglich im Schlafzimmer (Bett, Schrank, Nachttische).

Die wichtigsten weiteren Kriterien für
die Einrichtung des Schlafzimmer sind:
- Dachbalken haben einen störenden Einfluß auf den Schlaf, da sich die Energie der Deckenstruktur anpassen muß. Läßt es sich nicht vermeiden, so ist es auf jeden Fall besser, parallel zu den Balken zu liegen als quer dazu.
- Pflanzen haben nachts Schlafzimmerverbot (genau wie in Krankenhäusern), weil sie in der Ruhephase genau wie wir Sauerstoff benötigen.
- Power-Farben (leuchtend rot, knallgelb, giftgrün etc.) haben ebenfalls Schlafzimmerverbot.
- Echte Tierfelle (egal welcher Herkunft und in welcher Form) gehören nicht in diesen Raum.

Wenn Sie in einem Haus wohnen, in dem Sie über mehr als ein Stockwerk verfügen (Einfamilienhaus, Maisonette), sollten sich die Schlafzimmer im oberen Stockwerk befinden. Die Chinesen nennen das „hohen Berg" und „tiefe See", die Griechen sprachen vom „Olymp" und vom „Hades". Oben sind die Götter zu Hause, in der Tiefe befindet sich die Unterwelt. Wir verbringen eine beachtliche Zeit unseres Lebens mit Schlafen und sind zudem in diesem Zustand nur „Herr über einen Viertel unserer Widerstandskräfte". Da wir in konstanter Wechselwirkung mit den Einflüssen von außen stehen, sollten wir gerade während des Schlafs lieber in der Nähe der Götter als in der Nähe der Unterwelt sein. Es ist irgendwie beruhigender.

Garagen und Abstellkammern sind unbewohnte Räume, in denen sich das eigentliche Leben sicherlich nicht abspielt. Manchmal sind Garagen jedoch in die Häuser integriert oder eingebaut und darüber befindet sich „normaler" Wohnraum. Weil das Schlafzimmer aber eigentlich der Ort des „Familienwachstums" ist, sollte es sich nicht über einer Quelle befinden, wo keinerlei Wachstum vorhanden ist.

Das Kinderzimmer

Für den Schlafbereich im Kinderzimmer gelten die gleichen Regeln wie bei den Erwachsenen. Allerdings verfügt das Kinderzimmer noch über einen ganz anderen Raumteil, in dem gespielt, gelebt und manchmal auch gearbeitet wird (Schulaufgaben).

Hier treffen zwei Welten in einem einzigen Raum zusammen, und genauso sollte auch die Aufteilung sein. Beim Eintreten in ein Kinderzimmer sollte sich die Seite, wo geschlafen wird, als die ruhige, ordentliche, übersichtliche Seite präsentieren, während die Spielseite bunt, belebt und auch etwas weniger ordentlich sein darf.

Kinder gehen mit dem Mobiliar bedeutend weniger sorgfältig um als die Erwachsenen, und die Versuchung ist daher groß, den Kindern erst einmal die „alten Möbel" zu überlassen, die sie getrost vollständig ruinieren können. Kinder sind aber in dem Alter, in dem sie Möbel zu Grunde richten, gleichzeitig sehr zarte Geschöpfe und erst am Anfang ihrer Entwicklung. Riesige, erdrückende und dunkle Möbel wirken genauso, wie sie aussehen und sind daher absolut ungeeignet.

Wer in der Schule Erfolg hat, geht gerne hin; wer jedoch jeden Tag von neuem „kämpfen" muß, ist unglücklich oder beginnt zu querulieren. Daher hat der Standort des Kinderschreibtisches einen großen Einfluß auf die schulischen Leistungen. Wer den verpaßten Anschluß zu Hause bei den Aufgaben nachholen kann, findet sich anschließend in der Schule wieder besser zurecht. Genau wie später am Arbeitsplatz sollte bereits im Kinderzimmer die Türe nie im Rücken der Person sein. Kinder neigen aber auch automatisch zum Träumen, wenn sie aus dem Fenster sehen können. Daher ist es am besten, wenn das Kind mit dem Rücken zur schützenden Wand am Pult sitzt und zudem eine freie Sicht auf die Türe hat.

Je älter die Kinder werden, desto mehr wandelt sich das Kinderzimmer zum „Elektronik-Studio". In der Pubertät ist eine gewisse „Strahlensucht" normal, allerdings sollte auch hier eine vernünftige Dosierung von Elektrizität angestrebt werden. Qualitativ hochwertige Geräte sind teurer, senden aber meist bedeutend weniger schädliche Strahlungen aus. Das Kopfteil des Bettes muß auf jeden Fall Elektronik-frei sein; der minimale Abstand beträgt 80 cm, auch für Radiowecker.

Das Büro zu Hause oder
der Schreibtisch am Arbeitsplatz

Wer zu Hause arbeitet, kann Beruf und Privatleben nicht mehr ganz so einfach trennen. Besonders wichtig ist daher die räumliche Unterteilung. Sie brauchen auf jeden Fall einen separaten Raum, den man vom Eingang her direkt erreichen kann, ohne durch private Räume wie Wohnzimmer oder die Küche gehen zu müssen. Solange Sie zu Hause arbeiten, müssen Sie die Türen zu den privaten Räumen schließen, damit sich die Energien der beiden Welten nicht mischen. Der Beruf hat in den Stunden, wo er ausgeübt wird, die vollste Aufmerksamkeit verdient, aber genauso haben Sie am Feierabend Anspruch auf ein Privatleben.

Die Größe eines Schreibtisches sollte grundsätzlich der beruflichen Position angemessen sein. Allerdings ist der optische Eindruck der „Dinge darauf" wesentlich wichtiger als alles andere. Normalerweise wird vom Computer, dem Telefon und der Rechnungsmaschine bereits eine ziemlich große Fläche belegt. Der Rest wird mit Papierstapeln ausgefüllt, und das Platzproblem ist perfekt. Bei uns hat sich eine ziemliche Unsitte eingebürgert: Chaos wird mit Aktivität und Tatkraft assoziiert; ein aufgeräumter Schreibtisch wird dagegen mit einem Mangel an Arbeit gleichgesetzt. Doch eigentlich wäre es doch so, daß *Sie* sich während der Arbeit entfalten sollten und nicht das Chaos.

Mit der besten Plazierung des Schreibtisches verhält es sich nicht anders als beim Kinderpult. Im Rücken sollte sich eine schützende Wand befinden. Falls Platzmangel herrscht, kann diese auch mit einem Regal vollgestellt sein, auf keinen Fall sollten sich dort aber irgend welche Ablagetische oder gar freier Raum befinden. Vom Stuhl aus sollten Sie einen klaren Überblick über den Türbereich haben. Vor Ihnen steht der Schreibtisch, der in den Raum hineinragt. Auf der Verlängerung der Achse Stuhl–Schreibtisch sollte dann eigentlich nichts weiter kommen. Somit haben Sie bereits 3 der 5 Tiere, die unsere Urbedürfnisse verkörpern, richtig plaziert. Die Schildkröte (Stabilität) im Rücken, die Schlange (Ruhe) auf dem Tisch und die Weite des Phönix vorne. Jetzt fehlen nur noch Tiger und Drache. Der Tiger (rechte Seite) ist niedriger als der Drache (linke Seite). Aktenmöbel und zusätzliche Tische könnten somit seitlich und sinnvoll plaziert werden.

Die Beleuchtung ist am Arbeitsplatz ein wichtiges Thema, und jede Hängelampe über einem Tisch birgt einen unbewußt wahrgenommenen Unsicherheitsfaktor, da die Lampe herunterfallen könnte. Das wiederum vermittelt ein ungutes Gefühl, auch wenn man vom Verstand her weiß, daß dieser Fall nie eintreten wird. Für das Sortieren der Papierstapel auf dem Pult empfiehlt sich das Pa-Kua oder zumindest die andeutungsweise richtige Plazierung. Jedes Pult sollte über einen Punkt der „Regeneration" verfügen. Das kann eine Pflanze, ein persönlicher Gegenstand oder sonst etwas sein. Mit Hilfe eines „magischen Quadrates" von ca. 30 cm, in dem Ihr persönliches Objekt steht, können Sie auf jedes Pult eine Oase des Friedens in das Chaos der täglichen Arbeitsflut zaubern, allerdings nur so lange, wie dieser Platz frei bleibt.

Verlassene Zimmer, Abstellräume, Keller und Garagen

Wenn Kinder erwachsen werden und ausfliegen, lassen die Eltern oft über Jahre die Zimmer noch im „Urzustand", anstatt den freien Raum wieder für sich selber zu nützen. **Leere Räume** werden im Feng Shui als „Tote Räume" bezeichnet. In diesen Zimmern beginnt allmählich alles einzustauben, und damit meine ich nicht die Sauberkeit, sondern die Atmosphäre. Wie Fotos, die an der Sonne im Laufe der Zeit vergilben, verschwindet das Leben aus den nicht genützten Räumen, und irgendwann erscheinen sie düster und wirken unangenehm.

Ob **Keller**, Abstellraum oder Garage, jeder von diesen Räumen stellt den Anspruch, belebt zu werden. Es ist nicht einmal notwendig, daß Sie Ihre Gewohnheiten auf den Kopf stellen, denn es genügt bereits, wenn in diesen Räumen Ordnung herrscht. Stellen Sie sich vor, Sie gehen in den Keller und finden auf Anhieb (ohne über alte Kartons und Kisten zu klettern) die gesuchten Gegenstände. Das macht doch Freude. Und genau dies ist die Aufgabe eines Kellers: daß Sie alte Sachen finden und sich daran freuen können, aber ohne sich über das Durcheinander zu ärgern. Kellerräume sind aber meist auch die Sammelstellen der Vergangenheit und der „Altlasten". Das Trennungskriterium ist ebenso simpel wie nutzbringend: Alles, woran Sie sich erfreuen können, was Ihnen ein Schmunzeln aufs Gesicht zaubert und was Sie dazu animiert, alte

Geschichten zu erzählen, hat einen Platz auf dem Regal verdient. Dinge, von denen Sie nicht wissen, wozu sie dienen, da Ihre Wohnräume mit Möbeln vollständig ausgestattet sind (z. B. Teile von Geräten, Schläuche und Bauteile) dürfen Sie vermutlich vollständig entsorgen. Alle Gegenstände, die Sie ärgern, die seit Jahren im Keller auf eine Reparatur warten (und sie nie bekommen werden), die mit unangenehmen Erinnerungen verbunden sind oder die aus Bequemlichkeit nicht entsorgt worden sind, denen hat das letzte Stündlein nun endgültig geschlagen.

Das gleiche gilt für die **Garage**. Sie ist meist eine Sammelstätte von alten Autoreifen (die teilweise auch noch von Fahrzeugen herrühren, die seit Jahren nicht mehr existieren). Zwei Stunden Aufwand für die Entrümpelung, und Ihre Garage kann wieder zur geräumigen Herberge für Ihr Fahrzeug werden. Falls Sie in der glücklichen Lage sind, einen Oldtimer zu besitzen, lassen Sie Ihre Garage mit weißen Fliesen auslegen; Ihr Auto wirkt dann gleich doppelt so wertvoll. Das gleiche gilt natürlich auch, wenn Sie ein nicht mehr ganz junges Auto an den Mann bringen möchten. In einer weißen Garage wirkt es kostbarer als auf einem schwarzen Parkplatz.

Abstellräume innerhalb von Wohnungen werden meist für Reinigungsartikel und Staubsauger gebraucht. Da die meisten Häuser von Männern entworfen worden sind, aber sehr oft Frauen das Putzen in ihren Zuständigkeitsbereich eingegliedert haben, herrscht in den Abstellräumen oft eine krasse Diskrepanz zwischen Ausführung und Zweckmäßigkeit. Hier gibt es nur einen einzigen vernünftigen Rat: Bauen Sie Ihren Abstellraum nach Ihren Bedürfnissen um. Sehr oft reichen 2–3 Bretter und ein paar Aufhängungen am richtigen Ort, und die Misere hat ein Ende. Was nützt Ihnen ein Abstellraum, wenn Sie sich jedesmal darüber ärgern?

Spiegel

Kaum ein Thema im Feng Shui löst so viele Fragen aus wie die Spiegel. Vermutlich kommt dieses übergroße Interesse daher, daß uns diese Thematik völlig neu ist. Normalerweise haben wir im Badezimmer, im Schlafzimmer und im Flur je einen Spiegel hängen – oder eine Spiegelfläche als integrierten Bestandteil eines Schrankes. Wir benutzen die Spiegel, um uns darin anzusehen, manchmal um einen kleinen Raum größer erscheinen zu lassen, aber sicher nicht für andere Belange. Im Feng Shui werden drei

Sorten von Spiegeln eingesetzt. Die erste Art von Spiegeln ist genau wie die uns bekannten Modelle flach. Hierzu gehören auch die von den Chinesen als besonders wertvoll angesehenen achteckige Spiegel (Pa-Kua-Spiegel, siehe weiter unten).

Die Chinesen kennen aber noch zwei weitere Formen von Spiegeln, die bei uns nicht sehr verbreitet sind. Die eine Form ist nach innen gebogen (konkav) und gleicht einer Satellitenschüssel. In jeder Schüssel können Gegenstände gesammelt werden, und in einem Spiegel, der nach innen gebogen ist, wird das gute Chi, das an diesem Ort zusammenfließt, gesammelt. So werden oft an Eingangstüren, wenn positive Energie auf das Haus zufließt, diese Spiegel aufgehängt, um damit das Chi einzufangen. Sie können jede metallische Schüssel, die glänzt und reflektiert, für diesen Zweck einsetzen.

Die andere Form ist wie eine umgekippte Schüssel nach außen gebogen. Wenn Sie eine Schüssel umgekippt in das Spülbecken stellen und Wasser darüber laufen lassen, wird das Wasser abfließen. Es kann sich nirgendwo festhalten und verweilen. Dasselbe gilt für negative Energie, die von außen auf Ihr Haus zufließt. Dank diesem Spiegel kann sie sich nicht festsetzen und so auch nicht ins Haus gelangen. Wenn eine Treppe direkt auf Ihre Eingangstüre zuführt, und Sie einen solchen Spiegel über der Türe aufhängen, kann sich das Sha nicht bei Ihnen festsetzen. Bei uns finden wir in den Blumengeschäften die bunten Kugeln, die wir in den Garten stecken. Eine solche Kugel hat die gleiche Wirkung wie ein konvexer Spiegel.

Selbstverständlich werden auch innerhalb der Wohnungen konkave (nach innen gebogene) und konvexe (nach außen gebogene) Spiegel aufgehängt, um das Chi einzufangen oder das Sha wegzuleiten. Allerdings können die meisten wesentlichen Aufgaben auch mit unseren ganz gewöhnlichen Spiegeln vollkommen einwandfrei erfüllt werden. Dazu nun einige Erklärungen:

Ein Spiegel gibt immer das wider, was er „sieht". Was seinen Energiefluß betrifft, so erzeugt er einen Bumerang-Effekt, weil er das zurückgibt, was er auffängt. Stellen Sie einen großen Spiegel vor einen Bach, so haben Sie plötzlich zwei wunderschöne Landschaften, und folglich auch die doppelte Menge an „Chi"; Stellen Sie diesen Spiegel jedoch vor eine Müllhalde, so erhalten Sie die doppelte Menge von Müll – und demgemäß auch von Sha.

Ist nun die Hausecke Ihres Nachbargebäudes auf ihren Lebensraum gerichtet, können Sie diesen „geheimen Pfeil" durch einen

Spiegel einfach wieder zurückschicken. Somit wird der Pfeil zum Bumerang und kehrt an den Ort zurück, von dem er gekommen ist. In Ihrer Wohnung selbst werden Sie jedoch aus allen Positionen im Raum etwas anderes im Spiegel sehen als diese Hausecke, es sei denn, Sie stellen sich genau dazwischen. Die Grundvoraussetzung ist natürlich, daß Sie das Spiegelbild auch genau einfangen, sonst kann es nicht zurückgeschickt werden.

Möchten Sie gute Energie weiterleiten, sie zum Zirkulieren bringen, so werden Sie schnell auf ein „technisches Problem" stoßen. Wenn Sie nämlich die Spiegel auf gewöhnliche Weise flach an die Wand hängen, schicken diese die Energie einfach wieder dorthin zurück, wo sie hergekommen ist, und eine Zirkulation findet nicht statt. Aus diesem Grund kommen entweder nach innen gebogene Spiegel zum Einsatz, oder die Spiegel werden in dem notwendigen Winkel zur Wand aufgehängt, damit das Chi den gewünschten Lauf nimmt.

In Badezimmern ohne Fenster können Sie mit Frisierspiegeln, die auf einem ausziehbaren Arm befestigt sind, den Chi-Fluß wieder aktivieren. Es spricht nichts dagegen, in einem Badezimmer bis zu vier dieser Spiegel aufzuhängen, wenn die Energie von alleine nicht zirkulieren kann.

Unsere „klassischen" Spiegel

Beginnen wir im **Badezimmer**, wo sich normalerweise über dem Waschbecken ein kleines Hänge-Schränkchen mit einer Spiegelfläche befindet. Besteht die Spiegelfläche nur aus einem einzigen Stück (eintüriger Schrank) ist das wunderbar. Hat das Möbel jedoch zwei oder drei Türchen, so sind entsprechend auch zwei oder drei Spiegel montiert, und Sie können sich selbst nicht „als Ganzes" sondern nur als „Teile von sich selbst" erkennen. Der Spiegel teilt eigenmächtig Ihre Persönlichkeit. Das ist nicht besonders nett von ihm, denn am Morgen, wenn man sich zum ersten Mal sieht, sollte man besser „alle beisammen" haben.

Im **Schlafzimmer** befinden sich oft mehrtürige Spiegelschränke, weil dies bei uns einfach die geläufigste Form von Kleiderschränken ist. Im Feng Shui gilt so etwas allerdings als klassischer Fehlkauf, weil im Schlafzimmer keinerlei störende oder aktivierende Kraft von Spiegeln gewünscht ist. Auf keinen Fall darf sich die schlafende Person im Spiegelbild befinden. Die einzig akzeptierte Version gewährt dem Bewohner einen verbesserten Überblick über die Tür, um besser zu sehen, wer hereinkommt. Wenn Sie nun zu den zahlreichen Menschen gehören, die ein solches Objekt im Schlafzimmer stehen haben, vielleicht auch noch von oben bis unten verspiegelt und zwei bis vier Meter breit, also 100%ig entgegengesetzt von der Idealsituation, so haben Sie momentan noch ein echtes Feng-Shui-Problem. Allerdings können Sie auf relativ einfache Art und Weise Abhilfe schaffen. Die einfachste und viel propagierte Lösung, nämlich über Nacht ein Tuch über die Spiegel zu werfen, finde ich persönlich nicht besonders elegant. Schließlich sollte das Schlafzimmer nicht einer permanenten Baustelle gleichen. Eine optisch sehr sanfte und weiche Variante besteht darin, daß Sie an der Decke eine Vorhangstange oder Schiene anbringen und mit einem Vorhang nachts die Spiegel verdecken und den Vorhang am Tage wieder zu öffnen. Damit können Sie den großen Schrank zusätzlich rechts und links flankieren. Weil ein weicher Tüllstoff bereits genügt, können Sie zudem den gesamten Raum mit einer Pastellfarbe zarter erscheinen lassen. (Netzmuster mit großen Maschen, wo der Spiegel „durchgucken" kann, sind allerdings ungünstig.)

Eine härtere Variante sind Stoff-Rouleaus, oben am Schrank oder an der Decke befestigt, da der Stoff straff nach unten gezogen ist. Der sanft fließende Eindruck eines Vorhangs kann hier natürlich nicht erreicht werden. Zum Schluß sind da noch die klassischen Metallrouleaus zu erwähnen, die aus kleinen Metall-Latten bestehen. Hier ist es wichtig, daß Sie kein glänzendes Material wählen, weil Sie sonst den Spiegeleffekt, den Sie vermeiden wollen, durch das neue Material erneut herstellen.

Im **Flur** befindet sich meist der Spiegel, auf den man den letzten Blick wirft, bevor man das Haus verläßt. Wenn Sie ohne größere Akrobatik einen Überblick über den Kopfbereich und allenfalls bis hin zum Brustbereich haben, dann stimmt das Grundverhältnis. Idealerweise wird dieser Spiegel durch die aufgehende Wohnungstüre verdeckt, so daß der eintretende Besucher nicht gleich in sein Spiegelbild sieht. In einem schmalen Flur kann so ein Spiegel ganz geschickt „den Horizont erweitern", denn er täuscht eine Weite und nicht vorhandenen Raum vor. Wenn nun genau entgegengesetzt ein Landschaftsbild mit Tiefenperspektive aufgehängt ist, wird dieser Eindruck noch verstärkt und vor allem verdoppelt. So kann aus einem kleinen Eingang ein großer bzw. großartiger Eingang geschaffen werden.

Wenn Sie mit dem Rücken zu einer Türe sitzen müssen, fehlt Ihnen die Sicherheit und der Schutz der Schildkrötenseite. Damit Sie sich nicht ständig umdrehen müssen, um zu sehen, was hinter Ihrem Rücken passiert, kann ein Spiegel auf dem Tisch als „Ersatz-Auge hinten am Kopf" dienen. Das gleiche Prinzip kennen wir beim Autofahren, wo uns der Rückspiegel informiert, was wir alles von hinten her zu erwarten haben. Besonders empfehlenswert ist dieser Tischspiegel am Arbeitsplatz, wenn der Vorgesetzte in einem Großraumbüro hinter einem sitzt.

Auch ein Spiegel verlangt regelmäßige Pflege. Risse und Sprünge sind immer als materialisierte Form einer psychischen Spannung zu werten und können daher nie etwas Gutes bedeuten. Abgeschlagene Ecken vermitteln den Eindruck eines Mankos und sind somit auch nicht besser. Verschmutzung verdunkeln vorübergehend das Gesamtbild, zumindest so lange, bis der Spiegel wieder gereinigt wird.

Im Feng Shui und im chinesischen „Hausgebrauch" werden Spiegel in Hülle und Fülle und für alle möglichen und unmöglichen Situationen verwendet, draußen vor der Türe genauso wie drinnen. Aus diesem Grund haben die Spiegel in der westlichen Welt auch einen niedlichen Beinamen bekommen: Man nennt sie „das Aspirin des Feng Shui".

Der Pa-Kua-Spiegel

Der Pa-Kua-Spiegel ist ein 10–25 cm großer, achteckiger Spiegel, der sehr gut, sehr kostbar und sehr ausdrucksvoll verarbeitet sein sollte, denn er beinhaltet die acht Trigramme, die „heiligen Symbole" des I Ging. Die Anordnung der einzelnen Symbole ist nicht die gleiche wie im Pa-Kua, das im Buch vorgestellt worden ist. Und das hat seinen tieferen Sinn: Im „gebräuchlichen" Pa-Kua stehen die 8 Trigramme in Interaktion miteinander, jedes ist mit jedem verknüpft, und daraus resultieren wechselseitige Wirkungen. Wird ein Pa-Kua-Spiegel aufgehängt, so möchte der Besitzer damit nicht irgendwelche Aktivität auslösen, sondern durch den Spiegel ein Zentrum der Harmonie schaffen, das in den gesamten Wohnbereich abstrahlt.

Der Pa-Kua Spiegel ist zum einen ein „Talisman der Harmonie", zum anderen ein „Wegweiser zu höheren Zielen", weil man sich darin selbst im Zentrum der absoluten Harmonie des I Ging sieht.

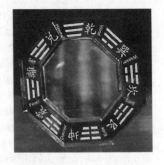

Farben

Ob im alten Ägypten, in griechischen Tempeln, im Orient oder den alten Kulturen Chinas, überall war die heilende Kraft der Farben und des Lichtes bekannt und wurde verehrt. Nachstehend ein paar Worte zu unserer eigenen Farbkultur und etwas Theorie der Farbenlehre: Durch Paracelsus fanden die Farben Eingang in die naturwissenschaftliche Heilkunde, und Goethe schuf im Jahre 1810 seine Farbenlehre. Pythagoras, Sir Isaac Newton und Einstein haben alle intensiv im Bereich des Lichts und der Farben geforscht. Die berühmte Relativitätstheorie Einsteins befaßt sich ebenfalls mit diesem Thema. Farben sehen wir, weil die molekulare Struktur eines Körpers einen Teil der Spektralfarben (der Regenbogen, der entsteht, wenn Licht durch ein Prisma geschickt wird) durchläßt und den anderen Teil reflektiert. Denjenigen Teil, der reflektiert wird, nehmen wir als Farbe war. Wir Menschen können reflektiertes Licht innerhalb des Spektrums von 780 (rot) bis 400 (violett) Nanometer als Farbe erkennen. Ganz wichtig ist es für uns, zu wissen, daß sich Licht, wenn es sich bewegt, wie eine Welle verhält. Farben haben, vereinfacht gesagt, ihre eigene Schwingung. Nun geht es darum, herauszufinden, mit welchen Farben wir uns auf „gleicher Wellenlänge" befinden.

Wenn unser Körper Farben in sich aufnimmt, verhalten sich diese nicht mehr wie Farben, sondern wie Teilchen (Photonen). Vereinfacht gesagt, gleichen wir dem Resonanzkörper einer großen Wanduhr, der den Klang des Stundengongs verstärkt. Positive wie negative Schwingungen werden durch uns zwar nicht erzeugt, wohl aber intensiviert. Haben wir nun eine falsche, unpassende Farbe in unserem Umfeld, wird diese Disharmonie durch unseren Körper noch verstärkt.

Schließlich ist zu den Farben noch anzumerken, daß sich unsere Körperzellen je nach Lichteinwirkung stärker oder weniger stark beschleunigen, doch wer von uns weiß schon, wie er diese Erkenntnis sinnvoll umsetzen kann. Die folgende Tabelle kann für Interessierte hilfreich sein, um ihre persönlichen Farbfavoriten ausfindig zu machen. Voraussetzung, um sie richtig lesen zu können, ist allerdings die Kenntnis Ihres persönlichen Feng-Shui-Elements, das Ihnen ab Seite 189 vorgestellt wird. Die Jahreszeiten entsprechen unserem Kalender:

Frühjahr: 21. März bis 20. Juni
Sommer: 21. Juni bis 22. September
Herbst: 23. September bis 20. Dezember
Winter: 21. Dezember bis 20. März

Die Farben im Feng Shui beziehen sich nicht nur auf Kleidung, sondern auch auf das gesamte Umfeld, die Farben der Wohnungseinrichtung, die Autofarbe und selbst auf die Lebensmittel, kurz gesagt, auf alles, was uns umgibt.

Ihre persönliches Feng-Shui-Element und seine Farbe nach dem Geburtsdatum:

Holz	Frühling	Weiß
	Sommer	Hellblau, Hellgrün, Schwarz
	Herbst	Rot, Blau
	Winter	Braun, Bordeaux, Lila
Feuer	Frühling	Hellgrün, Rosé
	Sommer	Schwarz, Grau
	Herbst	Blau, Grün
	Winter	Grün, Rot
Erde	Frühling	Rosé, Creme
	Sommer	Schwarz, Weiß, Blau
	Herbst	Rot, Gelb, Braun
	Winter	Rot, Grün, Lila, Braun
Metall	Frühling	Gelb, Rosé, Weiß
	Sommer	Schwarz, Hellblau
	Herbst	Grün, Blau, Rot
	Winter	Grün, Rot
Wasser	Frühling	Grün, Rosé, Braun
	Sommer	Weiß, Schwarz, Grau, Hellblau
	Herbst	Grün, Gelb
	Winter	Rot, Rosé

Sying und Yi

Sying – wie wir auf die Farbe reagieren
Wir alle fühlen uns von Farben angesprochen, aber nicht jeden Tag
von den gleichen Farbtönen. An manchen Tagen fühlen wir uns
mit diskreten Farben wohler als mit „knalligen" Tönen. Instinktiv
wählen wir (meistens) die passende Kleidung zum „Tages-Chi", so
daß wir uns in unseren Farben wohlfühlen. Die Art und Weise, wie
die Farbe auf uns zu kommt, wie sie uns „erscheint", wird im Chinesischen als *Sying* bezeichnet. Sying, übersetzt etwa: erscheinen,
definiert also unsere direkte, spontane Reaktion auf die einzelnen
Farben.

Yi – welche Botschaften die Farben beinhalten
Farben enthalten aber auch eine Botschaft, die sie sozusagen aus
eigenem Antrieb und unabhängig von unserer persönlichen Wahr-
nehmung vermitteln „wollen". *Yi* bedeutet übersetzt „Absicht".
Diese „Absichtserklärung" der Farben ist im Feng Shui noch wichtiger als das oben genannte Sying.

Anbei die „Botschaften" der einzelnen Farben
Rot steht für Glück, Wärme, Feuer, Kraft, Ruhm, die Liebe zum
sinnlichen Leben, zum Erleben, Bewältigen und Erobern. Rot entspricht der Lebenskraft, dem Selbstwertgefühl und dem Selbstvertrauen, denn diese Farbe aktiviert, vitalisiert, intensiviert und stimmt
dynamisch. Rot ist eine dynamische, glückbringende Heilfarbe, die
ein wärmende, belebende und anregende Wirkung hat.

Orange ist die Symbolfarbe der Heiterkeit, der Lebensfreude und
des Optimismus. Sie ist eine Farbe, die Glück und Macht verkörpert. Orange steigert das Lebensgefühl, die Lust auf Aktivität, ver-
hilft zu Mut und Stärke, Gefühlswärme und Aufgeschlossenheit.

Gelb ist die Farbe der Zufriedenheit, der Kreativität, der Vorstel-
lungskraft. Sie steht für Freude, Heiterkeit und Lebenslust. Gelb
besitzt eine anregende Wirkung auf das Gedächtnis und Erinne-
rungsvermögen und unterstützt den Lerneifer und die Auffassungs-
gabe. Diese Farbe vertreibt Trübsinn, Arbeitsunlust und Ermü-
dungserscheinungen.

Grün symbolisiert Fülle, Wachstum, Neubeginn und Aufstieg. Grün gilt als vermittelnde, erbauende, erfrischende und ausgleichende Farbe. Darüber hinaus ist Grün die Farbe des Herzens, des Ausgleichs, des Friedens, der Brüderlichkeit und der Hoffnung. Grün strahlt Harmonie und Verständnis aus, überträgt Gefühle der Sympathie und der Freundschaft.

Blau wirkt beruhigend, besänftigend, kühlend und verstärkt die Aufnahmebereitschaft. Blau ist auch die Farbe der Sehnsucht, der Hingabe, der Harmonie, der Ruhe, der Geborgenheit, der Zufriedenheit, der Entspannung und der Treue, aber auch der Gelassenheit, der Selbständigkeit und der Pflichterfüllung. Blau erfüllt die Seele mit Frieden und einem Gefühl innerer Sicherheit, selbst dann, wenn Belastungen im ersten Moment erdrückend erscheinen.

Violett, das aus den Farben Rot und Blau entsteht, ist die Vereinigung zweier entgegengesetzter Pole. Es steht für das Zusammenfließen zweier Kräfte, die Verschmelzung zweier Energiefaktoren, die im Kontrast zueinander stehen. Violett symbolisiert die Verwandlung, das Überschreiten und Hinübergleiten. Violett verleiht geistige Kraft, verstärkt die Meditationswirkung und führt zu höheren Bewußtseinszuständen.

Gold vermittelt ein Gefühl der Fülle, des Glanzes und der Macht. Es macht wertvoll, kostbar und begehrenswert. Es ist die Farbe der echten, wahren Mitte, der universellen Liebe und höchsten Werte und steht für Idealismus, Großzügigkeit und Edelmut. Gold transformiert Erkennen und Verstehen, hilft bei der Bewältigung seelischer Unsicherheiten und unterstützt den Geist auf dem Weg zur universellen Weisheit.

Rosa symbolisiert Liebe, Zuneigung und Hingabe auf der Herzensebene, ohne triebhafte Leidenschaft. Die Farbe macht empfänglich für die edlen Schwingungen harmonischer Liebe und selbstloser Zuneigung und regt dazu an, diese Glücksgefühle voll zu erleben und auszudrücken. Rosa steht auch für die Überwindung von Gewalt, Triebhaftigkeit und übersteigertem Egoismus.

Türkis gilt als die Farbe der Selbstdarstellung, sie unterstützt das Selbstbewußtsein und regt zu Phantasie und Spontaneität an. Es ist auch die Farbe der freundschaftlichen Gefühle, der Sympathie und des Miteinanderseins.

Hellblau ist die Farbe der inneren Stille. Diese Farbe hilft, die Welt mit einer gewissen Gelassenheit zu überblicken, ohne daß selbst die kleinsten Details entgehen. Hellblau ist mit einer unauffälligen Reserviertheit verbunden. Sauberkeit, Korrektheit und Ordentlichkeit sind im Hellbau miteinander verbunden.

Apricot (auch Pfirsich genannt) hat eine verjüngende Wirkung. Es ist verwandt mit Orange, das die Lebensfreude symbolisiert, erscheint allerdings weicher und abgemildert in seiner Wirkung. Die Ausstrahlung von Apricot hat einen fast magischen Charakter, und im Feng Shui hat diese Farbe einen sehr umstrittenen Stellenwert. Für Singles gilt Apricot als ideale Farbe, für Paare dagegen als absolut „tödlich", denn Apricot macht begehrenswert. Wer also diese Farbe spazieren führt, reizt seine Umwelt, und so empfehlen Feng-Shui-Meister fest gebundenen Menschen, besser davon Abstand zu nehmen. Die Ausstrahlung der Farbe Apricot hat in China einen eigenen Namen: „Pfirsichblüten". Analog dazu ist in Japan derselbe Farbton, jedoch viel heller, als „Kirschblüten" bekannt, und es war in alten Zeiten ein edles Ziel, seine Haut so weiß wie Kirschblüten zu erhalten.

Braun steht für das Verwurzelte, das Beständige, das Standhafte, aber auch das Alte bis hin zum Festgefahrenen und Starren. Braun schafft keine Veränderungen, dafür aber eine große Portion Sicherheit und Vertrauen, Standhaftigkeit und Tiefe. Da Braun auch Erfahrung ausstrahlt, kann diese Farbe sehr erhaben und edel wirken.

Hellbraun ist eine Art „Braun in jungen Jahren". Es symbolisiert den Anfang der Erfahrung, den Beginn eines tieferen Verständnisses, überhaupt jede Art von Anfang.

Indigo entsteht durch das Mischen der 6 Spektralfarben (Rot, Gelb, Blau, Grün, Orange, Violett) zu jeweils gleichen Teilen. Daher verkörpert Indigo die geballte Kraft ihrer ausgewogenen Vereinigung.

Purpur ist ein sehr starkes, tiefes Rot, das eine majestätische Ausstrahlung hat. So verkörpert Purpur neben allen Attributen von Rot auch gleichzeitig Achtung und Respekt, allerdings nicht jenen äußerlichen Respekt, den man kaufen oder erzwingen kann, sondern eine tiefere Form von Achtung, die von der inneren Ausstrahlung eines Menschen herrührt. Erst, wer zu innerer Größe gereift ist, kann von der roten Farbe zu Purpur wechseln.

Grau ist eine Farbe mit zwei Gesichtern. Grau verkörpert das Trübe, das Düstere, das Traurige, es steht zudem für Freudlosigkeit und Zurückgezogenheit bis hin zur Weltflucht. Gleichzeitig verkörpert Grau aber etwas sehr Vollendetes: die vollkommene Verschmelzung von Schwarz und Weiß in einer einzigen Farbe, die Auflösung des größtmöglichen Gegensatzes in einem großen „Nichts und Alles".

Silber ist die vollendete Version von Grau. Es ist die Farbe der Philosophen, der Dichter und Suchenden, denn Silber steht für die nie erreichbare Vollendung auf der geistigen, körperlichen und seelischen Ebene. Silber ist die Farbe des Unbewußten, es öffnet neue Horizonte und ebnet Visionen den Weg in die Realität.

Weiß ist der Anfang aller Dinge, und **Schwarz** symbolisiert deren Ende. Weiß steht für alles, was rein und unangetastet ist wie ein leeres Blatt Papier, es ist das Synonym für das vollkommene Yang. Schwarz dagegen steht für die ganze Fülle des Universums, das vollendete Yin. Schwarz und Weiß bilden zueinander den größtmöglichen Kontrast, und so kann nur reines Weiß das Schwarz zur Vollendung bringen, und nur tiefstes Schwarz läßt die Reinheit von Weiß erkennen.

**Die Farbwahl bei Kleidungsstücken
nach dem schöpferischen Zyklus**

Sicherlich werden Sie sich noch an den schöpferischen Zyklus erinnern, bei dem jeweils ein Element das andere hervorbringt. Da jedem Element auch eine Farbe zugeordnet ist, bringt, abstrakt betrachtet, eine Farbe die andere hervor.

Daraus ergibt sich folgende Farbenreihenfolge für den schöpferischen Zyklus:

Hauptfarben: grün ➪ rot ➪ gelb ➪ weiß ➪ schwarz

Nebenfarben: violett/lila ➪ orange ➪ braun/gold ➪ silber/grau ➪ blau/hellblau

Eine Möglichkeit, sich selber zu optimieren, ist, den Farbenzyklus in die Kleidung zu integrieren. Dieses Prinzip möchte ich Ihnen mit folgendem Beispiel nahebringen:

Die Betrachtungsweise beginnt bei Ihren Füßen (Schuhe und Strümpfe) und endet am Kopf, falls Sie eine Kopfbedeckung oder Haarschmuck tragen.

Wenn Ihre Hauptfarbe nach Feng Shui rot ist, tragen Sie im Idealfall rote Kleidung, z. B. ein Kleid, einen Anzug, Hemd und Hose etc. Unterstützend würden grüne Schuhe und Strümpfe wirken (Holz), weil diese „von unten her" Ihre Hauptfarbe (Feuer) nähren. Da aus Rot (Feuer) das Gelb (Erde) entsteht, würde ein Halstuch oder eine Krawatte in Gelb diesen Zyklus noch weiter fortführen.

Aber ehrlich gesagt, würden Sie so auf die Straße gehen? Mich werden Sie in dieser kunterbunten Variante mit Sicherheit nie antreffen. Es gibt nämlich noch um einiges sympathischere Möglichkeiten, um den gleichen Effekt zu erzielen. Die meisten Kleidungsstücke, die wir heute kaufen, sind bereits bunt gemustert, wobei meistens eine Farbe dominiert. In den „Schottenkaros" ist übrigens die Kombination Rot/Grün und Rot/Gelb sehr oft zu finden. Blumenmotive verbinden ebenfalls häufig Rot und Grün, und Verbindungen mit Schwarz oder Weiß sind ohnehin absolut unproblematisch. So könnte nun der Stoff Ihres Kleides wie folgt bedruckt sein: Hauptfarbe Rot (viele große Blumen) mit einigen grünen Details (Blätter), und vielleicht das Ganze auf weißem Grund, der jedoch nur dazu dient, daß man die Blumen besser erkennen kann. Nun könnten sogar die grünen Schuhe wieder passen. Allerdings können Sie auch getrost bei Rot bleiben, denn das Grün ist ja bereits in das Gesamtbild integriert. Anstelle von gelben Accessoires würde ich hier auf die Nebenfarbe ausweichen: Gold. Mit etwas Schmuck oder einer schönen Bernsteinkette können Sie den Zyklus abrunden, und es sieht perfekt aus.

Männer, die „Schottenmuster" tragen, könnten, vorausgesetzt, daß ihre persönlichen Feng-Shui-Farbe Rot ist, mit einer grünen Karo-Hose, die etwas Rot beinhaltet, beginnen. Anschließend würden ein rotes Hemd, wieder ein grünes Sakko (damit es nicht zu bunt wird) und eine grüne Krawatte folgen. Auch hier würde ich den Zyklus mit der Nebenfarbe Gold in Form von Schmuck abrunden (Krawatten-Nadel und Uhr). Allerdings ist mit dieser Lösung sicherlich nicht jeder Mann glücklich. Viele tragen Jeans, und zwar entweder blau oder schwarz, und auch sonst nur dunkle Hosen. Beginnen Sie mit dem Hemd (Hauptfarbe), und, wenn möglich, wählen Sie einen Stoff, bei dem die vorausgegangene Farbe des schöpferischen Zyklus wenigstens ein bißchen vertreten ist. Sie können dabei selbstverständlich auch die Nebenfarben einsetzen. Unzählige Männer tragen von Berufs wegen nur Anzüge und weiße Hemden. Da bleibt nur noch wenig Spielraum, um die Feng-Shui-Farben zu integrieren. Als letzte Rettung müssen dann die Krawatten herhalten, die in allen Farben und Mustern erhältlich sind. Achten Sie hier einfach darauf, daß in der Freizeit die persönlichen Farben mehr eingesetzt werden. Männer, die gerne einfarbige Anzüge und Jacketts tragen, können sich an eine einfache Faustregel halten: „Das Hemd ist uns näher als die Jacke". Die Hauptfarbe dominiert demgemäß das Hemd, und als Zugabe folgt die nächste oder die vorhergehende Farbe des schöpferischen Zyklus.

Berufliche Ziele mit Farben unterstützen

Die Kleidung dient dazu, den Körper einzuhüllen und ihn schön erscheinen zu lassen; die Farben, die Sie am Körper tragen, geben der Außenwelt bekannt, „in welcher Mission" Sie unterwegs sind. Farben wecken Gefühle bei anderen Menschen und lösen damit ganz bestimmte Reaktionen aus. Wenn Sie nun eine wichtige Besprechung haben (Vorstellungsgespräch, Banktermin, Familienfeier, Klassenfest etc.) können Sie mit einer Farbe sehr viel dazu beitragen, sich einen „Startvorteil" zu verschaffen. Farben senden dem Betrachter ein erstes Signal aus; den Rest der Arbeit müssen Sie dann allerdings schon selbst erledigen.

Weiter hinten im Buch, im Kapitel für die Inhaber von Unternehmen, wird das Thema der Gefühle, die von Farben berührt und stimuliert werden, noch ausführlich in Form einer Tabelle vorgestellt. Dabei geht es vor allem um „die Kleidung des Hauses", also um die Farbe der Fassade, die wir z. B. für ein Firmengebäude wählen. Denn die unbewußte Reaktion potentieller Kunden kann entscheidend dafür sein, ob ein Geschäft mehr oder weniger Erfolg hat.

Die Wohnung und die „unbeweglichen Farben"

In jeder Wohnung finden wir zwei Gruppen von Farben, „bewegliche" und „unbewegliche". Die beweglichen Farben betreffen Möbel, Bilder, Lampen und Gegenstände, die von einem Raum in den anderen verschoben werden können. Die unbeweglichen Farben sind auf den eingelegten Teppichböden, den Tapeten, dem Dekkenanstrich, den Kacheln und dem Bodenbelag in Küche und Bad zu finden. All das sind Farben, auf die wir nicht ständig oder nur mit einem größeren Aufwand Einfluß nehmen können.

Nach der Lehre des Feng Shui haben die unbeweglichen Farben den ersten Bezug zu den 5 Elementen. So wird beispielsweise die Küche dem Feuer zugeordnet, und das Badezimmer dem Wasser. Wenn Sie nun ein neues Badezimmer planen, das ganz in dem fröhlichen und heiteren Gelb gehalten sein soll, sind Sie nach Feng Shui auf dem besten Wege, einen folgenschweren Irrtum zu begehen. Die unbeweglichen Farben stehen für das Element, das in einem Raum dominiert. Gelb hat jedoch Bezug zum Element Erde, keineswegs aber zum Wasser. Die Aussage einer Farbe (in diesem Fall also „fröhlich") ist demgegenüber nur zweitrangig. Im ersten Teil des Buches, der Lehre von den Elementen, haben wir gesehen, daß *Erde* das *Wasser* verschmutzt. Daraus wiederum ergeben sich zwei mögliche Konsequenzen: Entweder werden Sie in Ihrem Badezimmer ein größeres Problem mit den Wasserleitungen haben (vielleicht wird der Zufluß von sauberem, klarem Wasser gestört, oder die Abflüsse werden verstopft sein), oder es kann sein, daß Ihr Bad immer irgendwie schmutzig wirkt.

Genaue Angaben darüber, welchen Elementen die einzelnen Räume zugeordnet werden, finden Sie in dem Kapitel, in dem die einzelnen Elemente vorgestellt werden.

Die Wohnungseinrichtung und die „beweglichen" Farben
„Bewegliche" Farben stehen für das gesamte Mobiliar und jene Einrichtungsgegenstände, die sich mit mehr oder weniger großem Aufwand verschieben lassen. Auch die Vorhänge und die Lampen gehören dazu, weil sie auswechselbar sind. Auch hier gibt es wieder zwei „klassische" Verhaltensmuster.

In der ersten Variante werden erst die unbeweglichen Farben ausgesucht – also Teppich, Tapete und Deckenfarbe – und dann die (meist farblich abgestimmten) Möbel gekauft und plaziert.

Bei der zweiten Variante sind die unbeweglichen Farben bereits gegeben (Teppiche und Tapeten stammen vom Vormieter oder vom Hausbesitzer) und das eigene Mobiliar wird zweckgebunden in den einzelnen Räumen verteilt.

Bei beiden Varianten sind grundsätzlich die Chancen genau so hoch, nicht ganz den Empfehlungen des Feng Shui zu entsprechen, denn diese Betrachtungsweise ist für uns völlig neu. Doch für jedes Problem gibt es bekanntlich immer mindestens zwei Lösungen, sei es beim Feng Shui oder anderswo.

In diesem Fall heißt das Zauberwort: *Fruchtbare Verbindungen schaffen oder schädliche Verbindungen lösen.*

Das erste Wort haben immer die „unbeweglichen" Farben; die – mehr oder weniger harmonische – „Antwort" gibt dann immer die Einrichtung mit den „beweglichen" Farben.

Wenn wir nun nochmals das Beispiel von vorhin, das gelbe Badezimmer, aufgreifen und einmal davon ausgehen, daß es tatsächlich schon so gefertigt wurde (Boden und Wände aus beigen, gelben oder hellbraunen Fliesen), so ist unsere Ausgangslage denkbar schlecht. Mit Hilfe der Einrichtung können wir jedoch den schöpferischen Zyklus der 5 Elemente wieder schließen und so die Verbindung zum Element *Wasser* wiederherstellen. Das nächstfolgende Element in unserem Zyklus – ausgehend von *Erde* (gelb) – ist *Metall* mit der Farbe Weiß. Darauf folgt *Wasser* mit Hellblau und Schwarz. Demnach kann hier ein weißes Badezimmermobiliar (inklusive Duschvorhang und Stangen) den schöpferischen Zyklus wieder herstellen. Die Handtücher, den Badezimmerteppich und bestimmte Details der Dekorationen könnte man dann vorteilhafterweise in hellblau oder schwarz wählen. (Siehe auch die Abbildung des schöpferischen Zyklus auf Seite 147.)

Eine weitere Möglichkeit bestünde darin, das Element *Erde* zu schwächen bzw. zu neutralisieren und dann dem Badezimmer seine eigentliche Bestimmung zurückzugeben. *Holz* (grün) entzieht der *Erde* (gelb) die Nährstoffe und laugt sie aus. Um dieser Gegenkraft noch mehr Gewicht zu verleihen, könnte ein frisches Grün in Mobiliar und Dekoration Wunder wirken. Allerdings sollten dann an den Stellen, wo das Wasser fließt, auch die Farben des Elements *Wasser* (schwarz oder hellblau) eingesetzt werden. Das beträfe in diesem Beispiel vor allem den Duschvorhang, die Handtücher, im Idealfall aber auch die Farbe des Waschbeckens, der Badewanne und der Toilette, zumindest aber des Toilettensitzes.

Das Wohnzimmer hat Sonderstatus bei den Farben

Das Wohnzimmer sollte in erster Linie den Bedürfnissen seiner Bewohner entsprechen. Dabei kann es sich um Ruhe und Stabilität (Erde = Gelb, Braun, Gold, Hellbraun, Beige), um Wachstum und Familie (Holz = Grün, Violett, Lila) aber auch um Kommunikation (Wasser = Hellblau, Blau, Schwarz) handeln.

Eine musische Familie, die im Wohnzimmer an zentraler Stelle ein Klavier stehen hat, ist mit Braun nicht sonderlich gut beraten, denn das Klavier sollte tönen und erklingen; es ist schließlich kein Sinnbild für Ruhe. Im Gegensatz dazu wünschen sich aber vor allem ältere Menschen Ruhe und Stabilität im Wohnzimmer. Das gleiche Bedürfnis haben auch zahlreiche Menschen, die im Beruf unter ständigem Streß stehen und zu Hause einfach nur abschalten und ausspannen möchten, ohne daß alle 5 Minuten wieder etwas Neues passiert. Familien mit Kindern geben durch die Farbgebung des Wohnzimmers ein klares Signal dafür, inwieweit z. B. das Herumtoben erlaubt ist oder nicht. Ist das Wohnzimmer in den Farben des Elementes Holz (Grün, Violett, Lila) gehalten, so dominieren die Kinder. Ist der Raum jedoch in den Farben des Elementes Erde (Braun, Gelb, Beige, Hellbraun) eingerichtet, so ist dies der offizielle Platz, an dem sich die Eltern ihre Ruhe gönnen möchten.

Der rote Teppich

Kaum ein echter Teppich hat bei uns in den vergangenen 20 Jahren so viele Kunden gefunden wie der rote Perserteppich. Daß dies kein Zufall ist, läßt sich mit ein paar einfachen Worten erklärt. Braune, hellbraune und braun-goldene Möbel sind nach wie vor sehr beliebt und in sehr vielen Wohnzimmern anzutreffen. Dazu werden oft lindgrüne Vorhänge und blaßgrüne Verkleidung, grüne und grünliche Sofas sowie zahlreiche Zierartikel in dieser Farbe kombiniert. Damit haben sich zwei Elemente, nämlich Erde und Holz, ganz klar manifestiert. Damit sich der schöpferische Zyklus harmonisch schließt, fehlt das Element Feuer. Und genau hier kommen die roten Perserteppiche zum Zuge. Die rote Farbe hat den beiden schon vorher vorhandenen Elementen die Hand gereicht, und daraus ist eine harmonische Verbindung entstanden. Wen wundert es da, daß vor 20 Jahren ein regelrechter Run auf rote Perserteppiche ausgebrochen ist, auch wenn sich niemand so recht über die tieferen Ursachen dieser Kaufentscheidung im Klaren war. Eigentlich wurde nichts anderes als die wohltuende Wirkung und die harmonisierende Ausstrahlung dieser Farbe gekauft.

Regenbogen-Kristalle

Regenbogen-Kristalle sind wundersame Objekte. Das meist in einer Tropfenform geschliffene Glas wird normalerweise ins Fenster gehängt, und das Sonnenlicht bricht sich darin. Doch damit nicht genug: Durch die Brechung des Lichts in seine sieben Spektralfarben entstehen irgendwo im Raum ein oder mehrere Empfängerpunkte, die wie Regenbogen schillern. Damit erklärt sich auch, woher der Name kommt.

Ein Regenbogenkristall verzaubert jeden Raum, ob er nun „korrekt" oder einfach nach Gefühl oder Freude aufgehängt worden ist. Sein Hauptzweck gemäß der Feng-Shui-Lehre ist es, Licht in einen „schattigen" Platz innerhalb des Raumes zu werfen, eine Sha-Zone zu erhellen und sie damit zu einem Chi-Platz umzuwandeln. Somit verwandelt er „Dunkel" in „Licht".

Allerdings muß ein Regenbogenkristall, wenn er für Feng-Shui-Zwecke eingesetzt wird, aus Kristall-Glas und darf auf keinen Fall aus Bleikristall sein. Ansonsten wäre der Effekt der gleiche, wie wenn Sie über eine Lampe ein dunkles Tuch hängen. Auch die stärkste Glühbirne ist damit nicht mehr in der Lage, den Raum wirklich zu erhellen. Mit einem Bleikristall ziehen Sie die Schwere des Bleis in die Wohnung und reduzieren Ihre persönliche Energie genauso stark wie die des Raumes. Kristall hat einen hellen, klaren, zarten Ton, und Bleikristall klingt dumpf und disharmonisch. Bleikristallhänger dürfen Sie draußen verwenden, jedoch nicht in gerader Linie zu einem Fenster. Sie schaffen ansonsten eine neue Sha-Linie, analog einem Baum, einem Masten oder einem Pfahl direkt vor dem Eingang.

Das zweite Hauptziel des Regenbogenkristalls ist es, ganz einfach Freude zu wecken. Wer sich freut, strahlt positive Energie aus; das persönliche Chi wird verstärkt, fließt in die Umgebung und überträgt sich so natürlich auch auf die anderen Menschen.

Damit Sie jedoch das Optimale aus Ihrem Kristall machen können, sind folgende 3 Punkte wichtig:
1. Wenn Sie ein Zimmer mit einer dunklen Ecke oder einer unbelebten Stelle haben, können Sie den Kristall so plazieren, daß das Regenbogenlicht genau auf den Punkt fällt, den Sie gerne erleuchtet hätten. Dies setzt zwar einiges an Zeit für Beobachten und Experimentieren voraus, der Erfolg ist allerdings unbezahlbar. Zuerst machen Sie den Kristall einfach nach Ihrem

Gefühl irgendwo am Fenster fest, damit Sie sehen können, wohin das Regenbogenlicht fällt. Vermutlich müssen Sie dann den Aufhängungsort etwas nach rechts oder links verschieben, ihn etwas höher oder tiefer wählen, je nach Wunsch und Ziel. Wenn Sie Ihren Kristall im Sommer aufgehängt haben, werden Sie im Winter den Platz etwas verändern müssen, da die Sonne im Winter tiefer steht als in der wärmeren Jahreszeit. Kleiner Tip: Mit geschliffenen Kugeln, die auf einem Tisch innerhalb des

Raumes aufgestellt sind, können dunkle Ecken oft bedeutend besser erreicht werden. Geschliffene Kugeln sind noch stärker als Kugeln mit glatten Oberflächen, und wellenförmige Schliffe sind harmonischer als gerade Schliffe.

2. Damit der Kristall leuchten kann, benötigt er die direkte Sonneneinstrahlung. Da die Sonne jedoch nicht den ganzen Tag durch ein Fenster scheint, wird Ihr Kristall auch nur zu gewissen Stunden einen Regenbogen in den Raum werfen. Wenn Sie nun in einem Raum zwei Fenster haben, bringen Sie Ihren Kristall an dem Fester an, das von der Sonne beschienen wird, wenn Sie selber zu Hause sind und sich daran erfreuen können. Oder wählen Sie das Fenster, von dem aus die von Ihnen ausgewählte dunkle Ecke am besten beleuchtet werden kann.

3. Für die Reinigung reichen Geschirrspülmittel und heißes Wasser völlig aus; Chemie ist überflüssig.

Kleine Spielereien mit den Regenbogenkristallen

Wenn Sie eine Ecke, direkt unterhalb der Decke bestrahlen und zum Leben erwecken möchten, wird Ihnen das mit dem Aufhängen des Kristalls im Fenster in den seltensten Fällen gelingen. Der Regenbogen befindet sich meist irgendwo auf der Wand oder auf dem Fußboden. Im gleichen Winkel, wie das Licht vom Kristall in Ihren Raum eintrifft, können Sie jedoch den Lichtstrahl weitersenden, indem Sie einen kleinen Glastisch oder einen kleinen Spiegel auf die Stelle setzen oder hängen, wo der Regenbogen auftrifft. So erreichen Sie mit Sicherheit auch die dunkelste Stelle in jedem Raum.

Windglockenspiele

Ein Windglockenspiel ohne Wind ist in etwa dasselbe wie eine Suppe ohne Salz, zumindest nach chinesischer Auffassung. Bei uns finden allerdings zahlreiche Windglockenspiele ihr Plätzchen an Orten, die garantiert nie von einem frischen Luftzug bewegt werden, einfach nur, weil die Wohnungseigentümer einen bestimmten Platz so schön finden. Beide Verwendungszwecke sind legitim, aber grundverschieden.

Zuerst zu dem bei uns üblichen Gebrauch: Wenn Ihnen ein Windglockenspiel gefällt und Sie es irgendwo plaziert haben, wo Sie es chic finden, dann freuen Sie sich und strahlen somit selbst neue Energie und Kraft (Chi) aus. Damit hat das Windglockenspiel seinen Zweck eigentlich mehr als nur erfüllt, ohne daß es auch nur ein einziges Mal erklingt. Wenn Sie jedoch möchten, daß das Windglockenspiel gemäß den Lehren des Feng Shui plaziert wird, können Ihnen folgende Informationen vielleicht ein wenig weiter helfen:

Ein Windglockenspiel dient dazu, eine Stelle oder einen Ort, an dem das Sha (die negative Energie) zu Hause ist, mit so viel positiver Energie (Chi) zu durchmischen, daß das Sha kapituliert.

In einer alten Zen-Geschichte wird von einem Park berichtet, in dem immer Vandalen gewütet haben. Durch nichts war Frieden in dieses gestörte Ambiente zu bringen, bis ein Zen-Meister diesem Treiben ein Ende setzte, indem er ein Windglockenspiel aufhängte.

Die Harmonie der Töne ist eine der beiden „Ausstrahlungen" eines Windglockenspieles. Helle Glocken wirken immer friedlich, fröhlich und stimmen zufrieden.

Die andere „Ausstrahlung", die von einem Windglockenspiel ausgeht, ist das „Gefühl von Leben", das es vermittelt. Der Wind haucht den Stäben Leben ein, und sie bedanken sich dadurch, daß sie zu klingen beginnen. Leben beinhaltet Zukunft, und die Zukunft ist selbst in den schlechtesten Zeiten ein Zeichen der Hoffnung, daß alles gut werden kann.

Herzlich Willkommen

Hinter vielen Eingangstüren sind Windglockenspiele so aufgehängt, daß beim Öffnen der Türe das Glockenspiel erklingt. Hierzu möchte ich noch ein paar Worte verlieren, denn der gleiche Fehler ist landauf, landab anzutreffen. Hängt ein Windglockenspiel an einem Baum, genügt ein sanftes Lüftchen, damit es erklingt. Wenn wir nun schwungvoll unsere Türe öffnen, „erschlagen" wir regelrecht unser Windglockenspiel, und als logische Konsequenz „erschlägt" uns dann der meist scheppernde Ton, der entsteht, wenn die Röhren aneinander schlagen. Plazieren Sie bitte Ihr Windglockenspiel so, daß es klingt und nicht erdröhnt. Andernfalls tönt das „Herzlich Willkommen!", das jedem Besucher begrüßt, eher wie ein „Wenn's denn sein muß, dann komm halt rein!".

Windglockenspiele in Gruppenformation

Für uns ist es eigentlich normal, daß wir jeweils nur ein einzelnes Windglockenspiel aufhängen. Aber warum eigentlich? Wir haben in unserem Haus die Probe aufs Exempel gemacht und in einem kleinen Raum mit Fensterchen (WC) an der Decke und an den Seiten zahlreiche Windglockenspiele aufgehängt. Seither ist dieser Raum wie verwandelt. Die zweckgebunden karge Einrichtung, die vorher den Gesamteindruck prägte, hat dem „Spieltrieb" und der Fröhlichkeit Platz gemacht. Es gibt absolut niemanden, der sich nicht dazu verleiten läßt, mit einem dieser Windglockenspiele ein bißchen zu „bimmeln". Seither kommt jeder Besucher mit einem Schmunzeln auf den Lippen aus dem kleinen Raum heraus und ist garantiert entsprechend gut gelaunt.

Feng-Shui-Musik

Töne sind eines der acht Haupthilfsmittel, um den Chi-Fluß des Menschen zu unterstützen, zu aktivieren und zu harmonisieren.

Daß es sich bei der Feng-Shui-Musik nicht nur um willkürliche Kompositionen handelt, sondern daß dem sehr komplexe Überlegungen zu Grunde liegen, zeigt die Struktur und der Aufbau, welche in der Musik beinhaltet sind.

Der Ausgangspunkt der Musik sind die 5 Elemente und die damit in Verbindung stehenden 5 Tiere. Jedem Element bzw. Tier wird ein ganz bestimmter Ton zugeordnet, eine Art musikalischer „Dominator". Die Elemente, die Tiere und die 5 Haupttöne sind ihrerseits wieder mit den 8 Trigrammen des I Ging verbunden.

Die Musik fördert zum einen das „Wohlbefinden des Hauses" und zum anderen das Wohlbefinden wie auch die Gesundheit der Bewohner. Anbei nun eine kleine Erläuterung zu den einzelnen 5 Bereichen, verbunden mit den wesentlichsten Empfehlungen dazu, wann welche Musik am besten eingesetzt wird:

Der Drache

Der Drache wird auch „Gott des Ostens" genannt, und daher ist seine Musik vorwiegend diejenige des Ostens von China. Sie ist durch einen eleganten, gefälligen und klassischen Stil geprägt.

Die Drachenmusik verkörpert das Wachstum des Menschen und wird daher als wichtiges Mittel zur Förderung einer guten und stabilen Gesundheit eingesetzt.

In der Musik selbst sind folgende Faktoren maßgeblich:
Dominierender Ton: Chueh
Trigramme: Zhen = Donner/Sun = Wind
Beeinflußtes Organ: Leber

Die Drachen-Musik hilft Ihrem Heim
bei folgenden Gegebenheiten:
- wenn Ihr Haus auf oder in der Nähe eines feuchten bis sumpfigen Baulands steht.
- wenn Sie eine tief gebautes, nur wenig von der Sonne verwöhntes Zuhause haben.

- wenn auf der Ostseite Ihres Hauses ein hohes Gebäude, Stangen oder Masten stehen.
- wenn Ihre Haustüre nach Westen oder Nordwesten zeigt.
- wenn sich eine leere Bauparzelle oder ein Bauplatz im Osten / Südosten befindet.

Ihnen selbst hilft die Drachen-Musik
bei folgenden Gegebenheiten:

- wenn Sie im Zeichen des Hasen, des Drachen oder der Schlange geboren sind.
- wenn Ihnen das Feuer- oder Holzelement im Geburtshoroskop fehlt.
- wenn Sie anfällig sind für Leberleiden, Fieber, Rheuma, Gicht, Rückenschmerzen und Ischias.
- wenn Ihnen das Feuer-Element fehlt und Sie entweder eine schwache Gesundheit, mangelndes Selbstvertrauen oder Unglück haben.

Die Türe nach Westen begünstigt: Leberschwäche, Fieber, Rheuma. Die Türe nach Nordwesten begünstigt: Gicht, Rheuma, Rückenschmerzen und Ischias.

Der Phönix

Der Phönix wird auch „Gott des Südens" genannt, und daher ist seine Musik vorwiegend diejenige des Südens von China, die von Freude und inspirierender Heiterkeit geprägt wird.

Der Phönix bringt durch das Feuer allen Lebewesen die nährende Kraft des Lichtes und der Wärme.

In der Musik selber sind folgende Attribute berücksichtigt:
Dominierender Ton: Jyy
Trigramme: Li = Feuer
Beeinflußtes Organ: Herz

Die Phönix-Musik hilft Ihrem Heim bei folgenden Gegebenheiten:
- wenn Ihr Haus in einer trüben, düsteren oder kalten Umgebung steht.
- wenn Ihr Haus in einer Senke oder in der Nähe einer Brücke steht.
- wenn spitze Winkel von einem Nachbarhaus auf Ihr Haus zeigen.
- wenn Ihre Haustüre nach Norden zeigt.
- wenn sich eine leere Bauparzelle oder ein Bauplatz im Süden befindet.

Ihnen selbst hilft die Phönix-Musik bei folgenden Gegebenheiten:
- wenn Sie im Zeichen des Pferdes geboren sind.
- wenn Sie weiblichen Geschlechts sind.
- wenn Sie anfällig sind für Kopfschmerzen, Bluthochdruck, Schlaganfall, Herzerkrankungen, Fieber und Augenreizungen sowie Nervenleiden und alle Formen von Psychosen.

Die Türe nach Norden begünstigt: Kopfschmerzen, Bluthochdruck, Schlaganfall, Herzerkrankungen, Fieber und Augenreizungen.

Die Schildkröte

Die Schildkröte wird auch „Gott des Nordens" genannt, und daher ist ihre Musik vorwiegend diejenige des Nordens von China, wo alles trocken und karg ist, und wo nur durch Flexibilität und Erfindungsreichtum das Überleben gesichert werden kann.

Wasser ist in der chinesischen Kultur ein Symbol für Geld, so daß die Musik einem Bach entspricht, der das Geld und das Glück mit sich bringt.

In der Musik selber sind folgende Attribute berücksichtigt:
Dominierender Ton: Yu
Trigramme: Kan = Wasser
Beeinflußtes Organ: Niere

*Die Schildkröten-Musik hilft Ihrem Heim
bei folgenden Gegebenheiten:*
- wenn auf der Ostseite eine Hauptstraße verläuft und die Gegend trocken ist.
- wenn Ihre Haustüre nach Norden, Südosten, Osten oder Westen zeigt.
- wenn sich eine leere Bauparzelle oder ein Bauplatz im Norden befindet.

Die Schildkröten-Musik hilft Ihnen bei folgenden Gegebenheiten:
- wenn Sie im Zeichen der Ratte geboren sind.
- wenn Sie anfällig sind für Nierenleiden, Blasenschwäche, Ohrenerkrankungen, Unterleibs- und urologische Erkrankungen.
- wenn Sie finanzielle Probleme oder finanzielle Unruhen haben.

Die Türe nach Süden begünstigt: Nierenleiden, Blasenschwäche, Ohrenerkrankungen, Unterleibs- und urologische Erkrankungen.

Der Tiger

Der Tiger wird auch „Gott des Westens" genannt und daher ist seine Musik vorwiegend diejenige des Westens von China sowie Tibet, einer unfruchtbaren, öden Gegend, in der man nur mit Tatkraft, Mut und Tapferkeit überleben kann.

Die Musik des Tigers behütet auch vor bösen Geistern, bösen Gedanken und stagnierendem Chi.

In der Musik selbst werden folgende Elemente berücksichtigt:
Dominierender Ton: Shang
Trigramme: Qian = Himmel/Dui = See
Beeinflußtes Organ: Lunge

Die Tiger-Musik hilft Ihrem Heim bei folgenden Gegebenheiten:
- wenn Ihr Haus in einem Tal oder einer Senke steht.
- wenn auf der Westseite ein hohes Gebäude, Stangen oder Masten stehen.
- wenn Ihre Haustüre nach Osten oder Südosten zeigt.
- wenn sich eine leere Bauparzelle oder ein Bauplatz im Westen befindet.
- wenn Sie an einer Straßenkreuzung wohnen

Ihnen selbst hilft die Tiger-Musik bei folgenden Gegebenheiten:
- wenn Sie im Zeichen des Hahns, Hundes oder Schweins geboren sind.
- wenn Ihre Karriere kaum merkliche Fortschritte macht.
- wenn Sie anfällig sind für Kopfschmerzen, Lungenprobleme, Neurosen, Atmungsprobleme.
- wenn Sie im Zeichen des Hahns geboren, Tätigkeiten im Haushalt verrichten und an einer Straßenkreuzung wohnen.

Die Türe nach Osten begünstigt: Lungen-, Kopfnerven-, Atmungsprobleme. Die Türe nach Südosten begünstigt: Kopfweh, Lungen- und Atmungsprobleme.

Die Schlange

Die Schlange wird auch „Gott der Mitte" genannt, und daher ist ihre Musik vorwiegend diejenige der Mitte von China, eine Landschaft, in der die Mutter Erde verehrt und gewürdigt wird.

Die Musik der Schlange hilft uns, an schlechten (und auch an guten) Tagen die Seele zu erheben.

In der Musik selbst werden folgende Elemente berücksichtigt:
Dominierender Ton: Kung
Trigramme: Ken = Berg/Kun = Erde
Beeinflußtes Organ: Milz und Magen

Die Schlangen-Musik hilft Ihrem Heim bei folgenden Gegebenheiten:
- wenn Sie in einem hohen Gebäude wohnen.
- wenn Ihre Haustüre nach Südwesten oder Nordosten zeigt.
- wenn sich eine leere Bauparzelle oder ein Bauplatz im Südwesten oder Nordosten befindet.

Die Schlangen-Musik hilft Ihnen bei folgenden Gegebenheiten:
- wenn Sie im Zeichen des Büffel, Tiger, der Ziege oder des Affen geboren sind.
- für alle älteren weiblichen Personen im Haushalt.
- wenn Sie anfällig sind für Magen- und Darmprobleme, Verdauungsprobleme, Hautprobleme, gynäkologische Probleme, Knochenbrüche und Rückenleiden.
- wenn Sie Ihre Situation verbessern möchten.

Die Türe nach Südwesten begünstigt: Arthritis, Rheuma, Knochenbrüche, Nasenbeschwerden, Rückenprobleme.
Die Türe nach Nordosten begünstigt: Probleme mit dem Magen und den Eingeweiden, gynäkologische Probleme, Hautprobleme und Muskelprobleme.

Fotos

Fotos von Menschen sind immer eine sehr persönliche Angelegenheit, denn sie zeigen Personen, die uns entweder sehr nahe stehen oder einmal nahe standen – eventuell auch uns selbst. In den letzten 30 Jahren haben sich die Fotografiergewohnheiten in unseren Breiten ziemlich massiv verändert. Jeder von uns besitzt so ein kleines Gerät, das er für künstlerisch mehr oder weniger bedeutsame Schnappschüsse „mißbraucht", und manchmal wird so einem Bild auch die Ehre zuteil, aufgehängt und aufgestellt zu werden. Dann gibt es noch die professionelle Fotografie. Auf fast jedem Werbeprospekt, der uns ins Haus flattert, lächelt uns ein ganz normaler Durchschnittsmensch so freundlich und so „natürlich" an, als handle es sich tatsächlich um einen einmaligen, spontan eingefangenen Schnappschuß. Doch dem ist nicht so: In Wirklichkeit werden 30, 50 oder gar 100 Aufnahmen gemacht, damit ein einziges Bild für die Werbung genommen werden kann. Unser Auge hat sich an diese professionelle Qualität so sehr gewöhnt, daß sie zum Maßstab geworden ist, mit dem wir Fotos beurteilen.

Diese Tatsache hat eine recht interessante Unterteilung jener ganz persönlichen Fotoausstellung in unseren 4 Wänden zur Folge: Die eigenen Bilder werden an ganz privaten Orten plaziert oder sehr persönlich arrangiert; die professionellen Fotos halten dagegen auch dem verwöhnten Auge von Gästen und Besuchern stand und dürfen somit einzeln stehen, groß gerahmt werden und zentralere Wohnbereiche verschönern.

So ein Ort ist beispielsweise die Garderobe. Sehr oft hängen im Flur Bilder oder Fotos. Da der Besucher sich hier seiner Jacke entledigt, hat er normalerweise genügend Zeit, die Bilder ein wenig zu studieren. Private Bilder besitzen sehr viel Charme, wenn sie in geballter Form auf einer Pinnwand oder einem Fotobrett bunt durcheinander gemischt die Lebensfreude der Bewohner widerspiegeln. Ein einziges zentrales Foto sollte jedoch unbedingt professionellen Ursprung haben.

Ein ganz spezielles und mit Leid belastetes Thema sind Bilder von verstorbenen Menschen. Normalerweise werden diese Fotos irgendwo in Schubladen aufbewahrt. Man schaut sie sich von Zeit zu Zeit wieder gerne an und erinnert sich. Wenn allerdings Lebenspartner, Kinder und Geschwister früh von uns gegangen sind, werden diese Fotografien zu ganz zentralen Bezugspunkten, die die

Verbindung zu den Verstorbenen und die Erinnerung an sie wach halten. Oft werden solche Fotos wie auf einem kleinen Altar arrangiert und verleihen so der Wohnatmosphäre eine Ausstrahlung von Trauer, Kummer und Leid. Sollte dies bei Ihnen der Fall sein, könnte Ihnen mit Hilfe eines Regenbogenkristalls, der das Bild jeden Tag für einige Stunden erleuchtet, viel von der leidvollen Schwere genommen werden.

Bilder

Den Bildern wird im Feng Shui eine enorm große Bedeutung zugemessen. Die Ratschläge, die diesbezüglich gegeben werden, beginnen bei der Größe der Bilder, setzen sich fort mit der Größe der Rahmen, der Höhe, in der sie plaziert werden und endet bei der Motivauswahl, die nach Berufsgruppen in der Arbeitswelt und Zielen im Privatleben gegliedert werden.

Wie so oft beim Feng Shui wird die über allem stehende Direktive der Motiv- und Farbauswahl von den 5 Elementen und den acht ersten Trigrammen (Pa-Kua) abhängig gemacht. Die Größe des eigentlichen Bildes symbolisiert die Wichtigkeit bzw. das Gewicht, das einem Bild beigemessen wird. Der Abstand von Bild zum Rahmen (meist ausgefüllt von einem weißen oder hellen Passepartout) kann ein normal großes Bild zu einem Riesenwerk aufblähen. Damit erhält das Bild in etwa den gleichen Stellenwert, wie ein Wort, das wir in einem Buch mit Leuchtstift anstreichen: Es wird unübersehbar.

Die Höhe, in der das Bild aufgehängt wird, ist sehr einfach zu deuten. Augenhöhe symbolisiert, daß man mit dem Inhalt auf „gleicher Ebene" steht; ein erhöhtes Bild dagegen bedeutet – je nach Motiv – entweder Autorität (bei Personenporträts), Weite und Sehnsucht (Landschaften) oder etwas Göttliches, für den Menschen Unerreichbares (Engel, heilige Personen).

Hängt das Portraits Ihres Vaters auf Augenhöhe, so bedeutet das Respektlosigkeit, denn Ihr Vater ist rein biologisch vor Ihnen auf der Welt gewesen, und hat daher Anspruch auf einen erhöhten Platz in der Hierarchie. Teenies hängen oft die Posters von Popgruppen auf Augenhöhe, damit sie ihren Idolen näher sind. Hängen diese Posters allerdings höher, so zeigen die jungen Menschen damit, daß sie sich dessen bewußt sind, daß es sich hier „nur um Idole und nicht um reale Freunde" handelt.

Eine Landschaft auf gleicher Höhe lädt ein, durch eine unsichtbare Türe in das Bild einzutauchen. Die gleiche Landschaft, etwas höher an der Wand plaziert, wird zum Symbol des Wunsches, dort sein zu dürfen.

Vorhänge

Vorhänge verändern jeden Raum und markieren gleichzeitig die Trennungslinie zwischen der inneren und der äußeren Welt.

Die Farbe der Nachtvorhänge (falls vorhanden) symbolisiert, durch welches Element (und die damit verbundenen Eigenschaften) diese Unterteilung erfolgt. Vorhänge fallen immer in eine sanfte Wellenform, und je weicher der Stoff und der Fluß, desto zärtlicher gestaltet sich die Trennung von Innen und Außen. Menschen, die sich nur schwer abzugrenzen können, dürfen gern die Unterstützung des passenden Elements zu Hilfe nehmen, sei es, um aktiver „nein" sagen zu können oder, um mehr Stabilität zu erhalten.

Souvernirs, Nippes und Staubfänger

Souvenirs sind Erinnerungsstücke, die wir normalerweise aus dem Urlaub mitgebracht oder angeschleppt haben. In diese Kategorie fallen alle möglichen und unmöglichen Dinge, von „entführten" Aschenbechern aus den Hotels, über Strohhüte und Buschtrommeln, bis hin zu billig erstandenen Textilien. Nippes-Figuren, kleine Statuen und ähnliche angesammelte Artikel jeglicher Art und Herkunft bevölkern unsere ganze Wohnung, angefangen in der Küche bis hin zum Schlafzimmer. Wir Menschen waren früher Jäger und Sammler, und dieser Trieb ist uns allen irgendwie noch gut erhalten geblieben. Einkaufen macht Freude, das Dekorieren ebenfalls, nur das Abstauben etwas weniger.

All diese Gegenstände, welchem Zweck sie auch dienen mögen, haben nur dann einen Nutzen, wenn Sie sich tatsächlich persönlich daran erfreuen können.

Selbst der „entführte" Aschenbecher, der aufgrund einer eher unedlen Handlung in Ihren Besitz gelangt ist, verströmt Chi, wenn Sie sich restlos daran erfreuen können. Normalerweise ist es allerdings so, daß das schlechte Gewissen die Freude doch ein wenig trübt. In diesem Fall verstrahlt besagter Aschenbecher natürlich eher Sha. Hier spielt zudem noch das Gesetz des Karma eine Rolle, und wenn man sich dessen bewußt wird, wird man kaum mehr Chi in einem solchen Objekt entdecken können. Ein Kleid, das Ihnen vor Jahren perfekt gestanden hat, in das Sie aber heute beim besten Willen nicht mehr hineinschlüpfen können, weil sich bei Ihnen ein gewisses „Persönlichkeitswachstum" vollzogen hat, verstrahlt Sha, weil Sie sich darüber ärgern. Die afrikanische Buschtrommel wird dann zur Belastung, wenn Sie nicht umhin können, sich zu fragen, wofür Sie dieses Ding überhaupt von so weit her geschleppt haben.

Hier gibt es nur einen Rat: Weg damit! Verschenken, verkaufen, entsorgen ... Alles, was belastet, hat in Ihrem Leben keinen Platz mehr, denn wer kann schon einen zusätzliche, völlig überflüssige Belastung gebrauchen?

Genau das Gegenteil gilt für alles, woran Sie sich immer wieder erfreuen: „Erlaubt ist, was gefällt". Ob das nun ein Figürchen ist, das Sie auf einem Flohmarkt billig erstanden haben, oder ein hochwertiges Sammlerstück – die Ausstrahlung ist die selbe: Sie erfreuen sich daran, die „Chemie" stimmt, und das Chi fließt. Chi schreckt weder vor Plastik noch vor sonstigen „unedlen" Materialien zurück. Es ist absolut individuell, und jeder hängt sein Herz an etwas anderes. In einer Partnerschaft müssen hier manchmal Kompromisse geschlossen werden, denn auch das optische Gesamtbild sollte irgendwie harmonisch sein, aber wenn eine Lösung gesucht wird, so kann sie sicherlich auch gefunden werden.

Waffen

Waffen bedeuten im Feng Shui „Verständnis", aber grundsätzlich nicht auf die sanfte, sondern auf die harte Tour. Wer Waffen (Schwerter, Pistolen, Bajonette) aufhängt oder aufstellt, macht damit unmißverständlich klar, daß er das letzte Wort hat. Daß dies nicht unbedingt eine einladende Wirkung auf die Mitbewohner oder Gäste hat, versteht sich ganz von selbst. Wenn Sie nun allerdings irgend ein Prunkstück erworben haben (das vielleicht auch nicht ganz billig war), so ist es mehr als verständlich, wenn Sie das gute Stück nicht irgendwo in den Keller stellen möchten. Waffen werden im Zyklus der 5 Elemente dem Metall zugeordnet. In der schöpferischen Reihenfolge folgt Wasser auf Metall, und ein Symbol für Wasser ist Glas. Stellen Sie Ihre Errungenschaft in eine Glasvitrine (am besten schwarz =

Farbe des Elements Wasser), denn so entsteht aus der harten Art von „Verständnis" eine neue Art der Kommunikation, die Basis für ein gutes Miteinander.

Tiere im Feng Shui

Fische

Wer schon einmal das Vergnügen hatte, in Hong Kong zu sein oder zumindest in Erzählungen davon gehört hat, kommt an den Aquarien mit den bunten, meist roten Fischen nicht vorbei. Es gibt tausend Erklärungen dafür, warum in dieser Stadt überall in Schaufenstern und Fenstern von Restaurants diese Fische zu sehen sind, aber alle haben ihren Ursprung im Feng Shui, und zwar in einer alten Symbolik. Fische bedeuten Erfolg und Fülle, und das Wasser verkörpert seinerseits Reichtum sowie Segnung des Himmels. Das macht verständlicherweise diese Kombination nicht unattraktiv. Da leuchtende Farben auch ein starkes Chi verkörpern, werden Zierfische von großer Farbenpracht, wie der Goldfisch, gewählt. Außerdem sollte der Fisch auch langlebig sein, denn die Verkörperung des Guten soll ja so lang wie möglich existieren und Glück bescheren.

Vögel

Das Bild vom alten Chinesen, der seinen Vogel im Bambuskäfig spazieren führt, ist den meisten von uns bekannt. So wie zahlreiche Europäer ihre Autos als Prestigeobjekt einsetzen, so vergleichen Chinesen untereinander ihre Vögel. Das ist ein Bestandteil ihrer Kultur – für uns genau so schwer verständlich wie umgekehrt. Vögel bedeuten jedoch auch Glück, und die Chinesen spielen für ihr Leben gern.

Hunde und Katzen

Obwohl den Chinesen nachgesagt wird, daß sie Hunde und Katzen (sowie auch Schlangen) verzehren, erfreuen sich unsere häufigsten Haustiere im Feng Shui auch einer sehr hohen Wertschätzung. Durch ihre Liebe und die Freude, die sie verbreiten, erhöhen sie das Chi des Raumes, sie beleben die Familie.

Schildkröte

Die Schildkröte ist in China ein ganz besonderes Tier und hat mehrfache symbolische Deutung erfahren. Zum einen waren die heiligen Zeichen, die 8 Trigramme, die den Ursprung des I Ging verkörpern, von Kaiser Fu Hsi gesehen worden, und zwar auf dem Panzer einer sich sonnenden Schildkröte. Zudem war auf dem Panzer dieses heiligen Tieres das magisches Quadrat Pa-Kua mit 9 Zahlen zu erkennen. Die Summe jeder Zahlenreihe, senkrecht oder waagrecht, ergibt 15 (siehe Kapitel über Pa-Kua). Die Schildkröte verkörpert unter den 5 Tieren auch die Stabilität und Sicherheit. Darüber hinaus symbolisiert die Schildkröte langes Leben.

Pflanzen und Blumen im Feng Shui

Eine Pflanze lebt dann, wenn sie Wurzeln hat. Wird eine Blume abgeschnitten, so wird ihre Verbindung zur Wurzel unterbrochen und ihre Tage sind gezählt. Aus diesem Grund ist das Verhältnis des Feng Shui zu Schnittblumen ein eher gespaltenes. Nur Trockenblumen schneiden noch schlechter ab. Sie verkörpern das Konservieren von verstorbenen Blumen, was im direkten Widerspruch zu einer freudigen und lebendigen Wohn- oder Arbeitsatmosphäre steht.

Pflanzen haben im Feng Shui also bevorzugt Wurzeln, es sind Topfpflanzen oder Blumen, die in der Schale gedeihen. Selbst die Blattform spielt eine Rolle, so werden runde Blätter spitzigen gegenüber bevorzugt, da letztere das Chi durchschneiden könnten.

Bambus

In der chinesischen Malerei nimmt der Bambus eine außergewöhnliche Stellung ein, denn es handelt sich auch um eine außergewöhnliche Pflanze. Wird ein Bambus gebogen, so zerbricht er nicht, er läßt sich biegen. Läßt man ihn anschließend wieder los, so schnellt er empor und steht wieder gerade. Diese Fähigkeit ist in vielen Parabeln, die das Leben des Menschen beschreiben, enthalten. Sich zu beugen, aber nicht daran zu zerbrechen um im richtigen Moment wieder aufzustehen und sich gerade und stark zu präsentieren: Das erschien den alten Chinesen als vorbildliche Lebenshaltung. Im Alltag symbolisiert der Bambus langes Leben und Glück.

Jasmin

Jasmin ist eine Blume mit himmlischem Duft. Sie vermittelt ein Gefühl von innerer Schönheit, und wer sich innerlich schön fühlt, öffnet automatisch sein Herz. Daher steht Jasmin für die ehrliche, tiefe Freundschaft.

Kaktus

Ein Kaktus ist immer eine stachelige Angelegenheit. Im Feng Shui verkörpern seine Stacheln das Element Metall, man könnte sie auch als Heer von kleinen Messerchen sehen, das die schlechten Eigenschaften von Sha bekämpft. Das Wesen des Kaktus ist es, das Wasser zu speichern und Wasser bedeutet in der alten Symbolik Reichtum. So konserviert der Kaktus seinem Besitzer den Reichtum und die materielle Fülle und verteidigt ihn gleichzeitig gegen die schlechten Einflüsse. Kakteen werden gewöhnlich auf die Fensterbretter gestellt, damit das Sha gar nicht erst in die Wohnung oder ins Geschäft eintreten kann.

Weide

Die Weide ist ein Baum, der mit seinen hängenden Ästen überhaupt nicht dem allgemeinen Bild der aufstrebenden Bäume entspricht. Sie wirkt devot, zurückhaltend und dennoch grazil. Die Weide verkörpert Anmut.

Pflaume

Der Pflaumenbaum und seine Früchte sind ein Symbol der innerer Stärke, Aufrichtigkeit, des fairen, klaren und geradlinigen Handelns. Seine Blüten sind jedoch zart und liebenswürdig, sanft und zerbrechlich. Der Pflaumenbaum symbolisiert die gelebte Verbindung von Yin und Yang.

Lotus

Der Lotus verkörpert das Gleichgewicht der Yin-Yang-Energien. Aus der Tiefe und Dunkelheit des Wassers steigt er empor, um sich an der Oberfläche gebend und empfangend zu öffnen, mit einer unendlichen Schönheit, Reinheit und Vollkommenheit. Seine Wurzeln stehen für die Unvergänglichkeit, sein langer, geschwungener

Stengel für die Nabelschnur allen Lebens, und seine Blüte für die Verwirklichung im Licht. Der Lotus symbolisiert auch die Vergänglichkeit und die Unendlichkeit in einem, als Träger der Vergangenheit, Gegenwart und der Zukunft.

Pfingstrose

Fast alle Blumen werden der Yin-Energie und dem Weiblichen zugeordnet. Die Pfingstrose ist eine der ganz wenigen Ausnahmen. In China ist sie die „königliche Blume", sie symbolisiert die Männlichkeit, den Ruhm, den Reichtum und zugleich das Licht.

Mandelblüten-Bäume

Mandelblüten sind das Symbol für die weibliche Schönheit, aber gleichzeitig steht der Baum auch für still erduldetes Leid, denn er beginnt oft zu blühen, obwohl noch Schnee liegt und es bitter kalt ist. In Japan sind die *Geishas*, die mit ihren eingeschnürten Füßen tagtäglich leiden, sich aber trotzdem immer schön und leise lächelnd präsentieren und eine Haut „weiß wie Mandelblüten" haben, der extreme und gelebte Ausdruck dieser Symbolik.

Künstliche Blumen

Künstliche Blumen und Bilder von Blumen sind „Ersatzblumen", für den Fall, daß die regelmäßige Pflege echter Blumen nicht gewährleistet werden kann. Es ist der Gedanke an die echten Blumen, der diese Abbildungen und Imitationen ins Leben gerufen hat, und daher sind diese beiden Formen legitim. Allerdings können Sie niemals das Chi aussenden, wie es die lebenden Pflanzen selbst tun.

Lebensmittel im Feng Shui

Die Unterteilung der Nahrungsmittel nach Feng Shui erfolgt primär nach den 5 Elementen, und zur optischen Kennzeichnung dient die Farbe, daneben auch die Form und Festigkeit der Pflanze, der Frucht oder des Getränks. Der Geschmack beinhaltet eine weitere „Aussage" des Lebensmittels, so daß die meisten Lebensmittel – ähnlich wie die Häuser und Gebäude – zwei oder gar drei Elemente beinhalten und repräsentieren können.

Bei der Ernährung nach Feng Shui handelt es sich nicht um eine vegetarische Küche. Fleisch ist genauso ein Bestandteil wie Gemüse und Früchte. Das Herz des Feng Shui, das Erstreben der Harmonie zwischen Mensch und Natur, wird allerdings bei Massentierhaltung und Hühnerbatterien in extremer Weise mit Füßen getreten. Es liegt an uns Menschen, mit Respekt gegenüber der Natur einzukaufen, sei es in Form von Eiern, die von Freilandhühnern stammen, oder durch die Wahl von Fleisch, von dem bekannt ist, daß die Tiere auf einer Weide gegrast haben.

Alle Getränke beinhalten das Element Wasser. Während Pflaumensaft das Wasser-Element doppelt beinhaltet (Farbe = schwarz und Form = flüssig), stellt Bier eine Kombination der Elemente Wasser = flüssig und Erde = gelb dar. Früchte, Gemüse und Gewürze beinhalten meist sogar drei Elemente: Eines für die Farbe, eines für die Form und eines für den Geschmack oder den Geruch.

Eine „einfarbige" Ernährung kann folgende Zustände auslösen:
Zuviel Grün: mangelnde Ausdauer; kein Wille, weiterzukommen
Zuviel Rot: Aggression sowie auch Erschöpfung; Haß
Zuviel Gelb: Blockierte Gefühle; innere Leere; Isolation
Zuviel Weiß: Steif und steril; Starre und trostlose Leere in sich
Zuviel Schwarz: Verlorenheit und Furcht, Sehnsucht und Fernweh

Ein „Heißhunger" auf gewisse Farben
symbolisiert den Wunsch nach:
Grün: Selbstbehauptung, Wachsen und Aufwärtsstreben
Rot: Mut, Aktivität, Körperbewußtsein, Selbständigkeit
Gelb: Ruhe, Entspannung, Gelassenheit, innere Freiheit
Weiß: Heiterkeit, Licht und Klarheit, Reinheit und Offenheit
Schwarz: Einsicht, Zuversicht, Loyalität, Frieden

Chinesische Glückssymbole

Buddha

Über Buddha (übersetzt: „der Erleuchtete") ein einheitliches „Charakterbild" zu erstellen, wäre völlig überflüssig und unangemessen. Je nach Land hat er eine andere Figur: So wird er in Thailand von schlank bis spindeldürr und in China mit Kugelbauch dargestellt. Der Happy-Buddha aus China hat somit den rundesten Bauch und das zufriedenste Gesicht. Buddha-Statuen werden sehr oft geweiht, manchmal von den „Benutzern" selbst und natürlich vorzugsweise von einem Mönch oder einem spirituell sehr reifen Menschen. Geweihte Buddhas haben normalerweise einen Boden unter sich, der sich entfernen läßt. Nach der Weihung wird die Schrift, die zu Gunsten des neuen Statuenbesitzers verfaßt wurde, innerhalb der Statue untergebracht, und der Boden wird (für immer und ewig) verschlossen.

Die 7 Unsterblichen

Je nach Alter der Überlieferung handelt es sich um 7 oder 8 Unsterbliche, die die *absolute Weisheit und Erleuchtung* erlangt haben. Durch das Aufstellen dieser 7 Figuren im eigenen Zuhause werden diese Weisen in die Familie aufgenommen, oder anders gesagt: man empfindet sich als Nachkommen dieser großen Männer. Damit entsteht eine familiäre Verbundenheit, und somit „färbt" etwas von den Vorfahren auf die lebende Generation „ab". Das Aufstellen der 7 Unsterblichen verkörpert aber im weiteren auch, daß man sich selber immer wieder daran erinnern möchte, wie wichtig es ist, nach Höherem zu streben und sich nicht von den Sorgen und dem Streß des Alltags gefangennehmen zu lassen.

Fuk Luk Sau

Bei *Fuk Luk Sau* handelt es sich um 3 Männer, die sehr oft mit Wanderstab (*Fuk*), Zepter oder Früchteschale (*Luk*) und Papierrolle (*Sau*) dargestellt werden. Sie haben unendlich freundliche, gütige und sanfte Gesichter, daß man ihnen am liebsten gleich persönlich begegnen möchte. Es sind 3 große Weise, die durch ihre Güte und Wärme inneren Frieden und Harmonie verströmen und uns mit ihrer Ausstrahlung berühren und anstecken.

Alter Mann

In unzähligen chinesischen Abbildungen und Malereien sind alte Männer abgebildet. Sie verkörpern ein langes Leben und beinhalten auch die Lebensweisheit und die Erfahrung des gesamten Lebens sowie das Weitergeben des Wissens an die junge Generation (Meister-Schüler). Hält der alte Mann zusätzlich eine Angelrute in der Hand, an der ein Fisch baumelt, so bedeutet die Figur neben dem langen Leben noch zusätzlich die Krönung durch Erfolg und Fülle.

Hund Foo

Er und sein Zwillingsbruder sehen aus wie eine Mischung aus „Löwe" mit etwas „Drachen" und treten grundsätzlich nur gemeinsam auf, denn die *Foos* sind die Wächter des Hauses und plazieren sich rechts und links neben der Eingangstüre. Bösen Geistern und bösen Menschen wird der Zutritt verweigert, schlechte Absichten werden bereits im Ansatz besiegt und unedle Taten somit verunmöglicht. Wenn Sie denken, daß Sie noch nie einen Foo gesehen haben, würde ich fast ungesehen dagegen wetten. Vor zahlreichen chinesischen Restaurants stehen diese beiden meist steinernen Tür- und Torwächter.

Löwenfisch

Auf den ersten Blick sieht diese Figur aus wie ein normal sitzender Löwe. Beim zweiten Hinschauen wird jedoch sichtbar, daß der Rumpf ein gebogener Fischkörper ist. Der Löwenfisch steht für die Kraft und die Macht des Löwen sowie den Reichtum des Fisches. Vor allem Manager und beruflich ambitionierte Menschen fühlen sich in „Begleitung" eines Löwenfisches sehr wohl – wen wundert's?

Bambusflöte und Schere

Bambusflöten und Scheren werden meist hinter der Eingangstüre aufgehängt. Die Bambusflöte hat eine ähnliche Aussage wie die Schere: das chinesische Wort für „Flöte" klingt fast gleich wie „Verschwinden". Die aufgehängte Schere ist noch etwas direkter: sie durchschneidet und zerschnippelt das eintretende Sha und macht es somit unschädlich.

Rote Umschläge

Wird in China jemandem ein roter Umschlag überreicht, so befindet sich etwas ganz besonders Kostbares darin. Erhält ein Brautpaar rote Umschläge, ist garantiert Geld darin, und zwar eher „zuviel" als „zu wenig". Schreibt ein Feng-Shui-Meister einem Kunden einen „heiligen" oder besonders wirksamen Spruch auf ein Papier, so steckt er diesen in einen roten Umschlag und versiegelt diesen. Der Umschlag wird danach vom Klienten ungeöffnet aufgehängt oder an der Wand festgemacht, damit das Kostbare nicht entweichen kann.

Brettchen und Steine

Gerne werden Brettchen (vorzugsweise ca. 30 cm lang und aus Pfirsichholz) oder Steine mit roten Schriftzeichen beschrieben, die zum Teil recht kuriose Aussagen enthalten. Die Sprüche basieren immer auf einer Geschichte oder einer Begebenheit, bei der sich tapfere Menschen gegen böse Einflüsse erfolgreich gewehrt haben. Ein zentraler Satz daraus wird dann aus dem Zusammenhang gerissen und auf das Brettchen oder den Stein geschrieben. (Der Stein symbolisiert den Widerstand.) Auch gegen Einbrecher, böse Nachbarhäuser oder schlechte Straßen gibt es die passenden Sprüche.

Pa-Kua-Spiegel

Im Pa-Kua-Spiegel sind die ersten 8 Trigramme des I Ging so angeordnet, daß sie in absoluter Harmonie zueinander stehen. Wer auch immer in diesen Spiegel sieht, erblickt sich selbst in vollkommener Harmonie. In China werden für draußen (beim Hauseingang oder bei der Eingangstüre) ganz billige Pa-Kua-Spiegel verwendet, denn nach dem ersten großen Regen sieht auch der schönste Spiegel nicht besser aus als diejenigen, die von Anbeginn schlecht verarbeitet worden sind. Drinnen allerdings sollte beim Pa-Kua-Spiegel nicht gespart werden. Wenn überall die Seiten schief geklebt sind, Leimkleckser auf dem Achteck glänzen und die Trigramme windschief gezeichnet sind, fühlt man sich beim Blick in den Spiegel eher im Umfeld des Chaos als im Zentrum der Harmonie. Aussage und Verarbeitung bedingen hier höchste Beachtung. Achten Sie beim Kauf auch auf die immer wieder auftretenden Orthographie-Fehler der Trigramme; es wäre eine fataler Irrtum, zu denken, daß sich jeder Chinese mit dem *I Ging* oder Feng Shui

- Das Firmenschild sollte gut leserlich und farblich im Einklang mit den 5 Elementen sein.
- Ihre Branche und die Ihrer Nachbargeschäfte rechts und links sollten ebenfalls in der Harmonie der 5 Elemente stehen.
- Der Eingang sollte nicht vis à vis einer Hausecke des gegenüberliegenden Hauses stehen.
- Ein Geschäft sollte nicht mehrere Eingänge haben. Wenn sich dies nicht vermeiden läßt, muß klar zwischen Haupteingang und Seiteneingang unterteilt werden.
- Die Lichtverhältnisse sind im Idealfall so beschaffen, daß 50 % natürliches und 50 % künstliches Licht einfällt.
- Die Eingangstüre sollte gleich groß oder größer sein als die der gegenüber liegenden Geschäfte.
- Die Botschaft der Hausfassade (Farbe) muß mit der Botschaft Ihres Geschäfts übereinstimmen.
- Die Kasse sollte sich bei einem Laden immer auf der rechten Seite vom Eingang (von innen gesehen) befinden.

befassen würde. Chinesen sind gewiefte Geschäftsleute, und so werden vielleicht auch mal in aller Eile die nicht so gut gelungenen Spiegel verkauft. Das geschieht oft in keinerlei böswilliger Absicht; sehr oft ist es reine Unwissenheit.

Die ganz alten Spiegel wurden immer ausschließlich auf der Rückseite beschriftet, damit die vordere Fläche ja nicht verletzt wurde. Diese „heiligen" Spiegel werden heute wieder (dank dem Zeitalter der Technik) nach der Originalphilosophie von der Rückseite her beschriftet – doch zusätzlich können wir „Menschen der Moderne" als Geschenk unseres Zeitalters die Zeichen von vorne her sehen.

Wo Sie den Spiegel aufhängen möchten, ist Ihnen ziemlich freigestellt, solange Sie folgendes beachten: Das, was sich im Spiegel zeigt, wenn niemand davor steht, wird verstärkt und/oder in Harmonie gesetzt. Wenn Sie einen Zimmerbrunnen, ein schönes Bild, eine Landschaft mit Bäumen oder gar einem See darin einfangen können, dann holen Sie all das Schöne zu sich nach Hause, und der Pa-Kua-Spiegel verstrahlt wie eine Sonne diese Energien in Ihr Zuhause. Je mehr sich der Spiegel im Zentrum der Wohnung befindet, desto gleichmäßiger breitet sich die Harmonie in die anderen Räume aus. Weitere Informationen dazu im Kapitel *Der Spiegel.*

Die tausend anderen Glücksbringer

Alle Tiere und Pflanzen, die in irgendeiner Weise mit Glück, Reichtum, Gesundheit oder anderen positiven Eigenschaften verbunden sind, gelten ebenso als Glücksbringer. An oberster Stelle steht der Drache, dicht gefolgt von Fischen (im 1. Rang: Goldfische), Hunde, Vögel, Löwen und natürlich Phönix, Tiger, Schlange und Schildkröte. Bei den Blumen und Pflanzen ist auf Platz 1 der Bambus; aber auch Jasmin, Kaktus, Pflaume, Pfirsich, Lotus, Pfingstrosen und Mandelblüten sind sehr begehrt. Detaillierte Informationen dazu finden Sie im Kapitel über *Tiere* und *Pflanzen.*

Da dieses Kapitel selbst ein ganzes Buch füllen könnte, werden die folgenden Glücksbringer nur noch als Auflistung den Abschluß bilden:

Aquarien, leere Schalen, Münzen, alle 64 Zeichen des *I Ging,* alle großen Persönlichkeiten, die mit Philosophie, Buddhismus und Tao in Verbindung gebracht werden, Krieger, Yin-Yang, zahlreiche Schriftzeichen wie die für „Langes Leben"; „Doppeltes Glück" etc. sowie rote Bänder. Die Himmelsleiter stelle ich Ihnen allerdings noch nachfolgend vor; sie ist etwas besonderes Schönes.

Eine Leiter, die von der Erde in den Himmel führt

So wie ein Blitzableiter die Energie des Himmels einfängt und an der richtigen Stelle in die Erde führt, sammelt die Himmelsleiter die Wünsche des Menschen, um sie an die richtige Stelle im Himmel zu schicken.

Himmelsleitern können Sie nirgendwo kaufen; sie sind im Handel nicht erhältlich. Wenn Sie trotzdem eine möchten, müssen Sie sich selber ans Werk machen. Sie benötigen dazu:

- 1 weiße, dicke Schnur oder Kordel, die genauso lang ist, wie Ihr Raum hoch.
- 1 dünnen Pinsel

- grüne, rote, gelbe, weiße und schwarze Farbe (wenn die Kordel bereits weiß ist, brauchen Sie natürlich keine weiße Farbe mehr zu kaufen)
- Geduld und Freude

Teilen Sie Ihre Kordel in neun gleich große Segmente auf, indem Sie nach jedem Neuntel eine Markierung mit Klebeband befestigen, die Sie später wieder ablösen können.

Nun kommt es auf Ihren Wunsch an, wie die Himmelsleiter aussehen soll. Wenn Sie sich Reichtum wünschen, beginnt ihre Kordel mit der Farbkombination Rot/Grün. Wünschen Sie sich eine tolle Partnerschaft, beginnen Sie mit den Farben Weiß/Rot, und für mehr Lebensfreude beginnt Ihre Leiter mit weiß.

Im Kapitel Pa-Kua sind die einzelnen Segmente nochmals genau beschrieben.

Reihenfolge der Farbeinteilung

Rot/Grün	Reichtum
Grün	Familie
Grün/Schwarz	Wissen
Schwarz	Karriere
Schwarz/Weiß	Hilfreiche Freunde
Weiß	Kinder
Weiß/Rot	Partnerschaft
Rot	Ruhm
Gelb	Mitte/Zentrum/*Tai-Chi* und Gesundheit

Wenn Sie einen anderen Anfang gewählt haben, geht die Reihenfolge bei Rot/Grün weiter, bis jedes der 9 Segmente auf die Himmelsleiter gemalt ist.

Hängen Sie die Himmelsleiter so auf, daß Ihr größer Wunsch den Fußboden berührt und die Leiter aufwärts steigen kann. Wenn Sie sich Reichtum gewünscht haben, sollte die Himmelsleiter analog im Pa-Kua-Sektor „Reichtum" aufgehängt werden. Normalerweise wird der Grundriß der Wohnung oder des Geschäftes verwendet, um den passenden Sektor zu bestimmen. Falls es allerdings ganz unpassend wäre, weil die Himmelsleiter im Bad oder in der Küche hängen würde, können Sie auch einen einzelnen Raum nach dem Pa-Kua einteilen und hier entsprechend die Himmelsleiter aufhängen.

Ein Kapitel für Geschäfte und Firmen

Die folgenden Zeilen möchte ich Firmen und Geschäften widmen, und ich gehe davon aus, daß Sie alle clevere und aufgeweckte Geschäftsleute sind und sicherlich auch den Rest des Buches intensiv studieren werden.

Im Geschäftsbereich gibt es einige Dinge, die im privaten Rahmen entweder nicht vorkommen oder keine bedeutende Rolle spielen, und genau darauf werde ich nun eingehen:

Allgemeines

Der Standort eines Geschäfts hat großen Einfluß auf dessen Erfolg. So sind in einem Shopping-Center in der Innenstadt sicherlich mehr potentielle Kunden zu erwarten als in einem Außenquartier oder in einem Dorf. Das Angebot und die Preise sind sicherlich ein weiterer Faktor, der ein Geschäft interessant und attraktiv werden läßt, und die Qualität ist ein weiteres Kriterium. Von nicht zu unterschätzendem Einfluß sind auch die Einstellung der Personen, die ein Geschäft führen, die Art und Weise, wie die Kunden behandelt und bedient werden und das „Know how" (Fachwissen) sowie die Kompetenz und Einsatzbereitschaft der Menschen, die das Geschäft repräsentieren. Dies ist jedoch alles nicht neu, und jedes Management-Buch ist voll von diesen Erkenntnissen.

Feng-Shui-Ratschläge

Wenn dieses Buch ein Spielbrett wäre, hätten Sie nun die Karte „gehe zu Kapitel 5" gezogen. Die erste Abklärung gilt dem **Standort**, und zwar in bezug auf die 5 Elemente, die durch die Form des Hauses, in dem Ihr Geschäft beheimatet ist und durch die Nachbarhäuser gegeben sind.

Anschließend werden nach dem **Pa-Kua** – „springe vorwärts zu Kapitel 4" – das Haus und die gemietete Fläche in Sektoren aufgeteilt, wobei Sie als Inhaber eines Geschäfts beide Varianten berücksichtigen sollten. Hier wird darüber entschieden, welche Tätigkeiten wo ausgeübt werden, welche Waren wo am besten zum Verkauf angeboten werden und welche Zonen im Grundriß zu kurz gekommen sind oder auch begünstigt wurden.

Am Schluß heißt es dann noch: „gehe zu Kapitel 1", damit Sie die Intensität, den Fluß und die Qualität der **Energien** abklären können. Durch die Möblierung wird der Chi-Fluß gelenkt, umgeleitet oder vielleicht auch blockiert. Der Einfluß von Sha wird nun sichtbar, und die nötigen Abhilfen – von Trennwänden im Inneren bis zu zusätzlichem Licht – können in Angriff genommen werden.

Falls Sie über eine große Büroflächen verfügen, würden Sie noch zusätzlich die Karte „gehe zuletzt nochmals zu Kapitel 3" erhalten. Die **räumliche Gestaltung** nach den Regeln der „5 Tiere" kann in Ihnen und Ihren Mitarbeitern enorm viel positiven Elan auslösen, denn wer sich wohl fühlt, arbeitet gut, gerne und viel.

Es gibt unzählige Ratschläge für Geschäfte, wobei nicht alle davon ganz „lupenrein" sind. Im nebenstehenden Kasten finden Sie die „ehrenhaften" und auch sinnvollen Ratschläge

Gefühle, die durch Farben ausgelöst werden

Damit Sie Ihre Kundenwünsche optimal befriedigen können, müssen Sie zuerst wissen, was die Kunden alles von Ihnen erwarten. Dies ist hier nicht allein auf die Produktpalette bezogen, sondern auch auf „Sekundärtugenden" wie Sauberkeit (beispielsweise von Lebensmitteln und Textilien), logisches Denken (z. B. in der Computerindustrie oder im Rechtswesen), Einfühlungsvermögen (bei Psychologen und Beratern) und zahlreiche andere Attribute und Fähigkeiten.

Gerade die Art, wie Ihre Kunden Sie in diesen „Nebenbereichen" einschätzen, kann darüber entscheiden, ob sie Ihr Geschäft regelmäßig aufsuchen, oder ob ein Mitbewerber bevorzugt wird. Eine falsche Farbe kann fatale Auswirkungen darauf haben, wie die Geschäfte „laufen", man sollte das nicht unterschätzen. Wirkt ein Kleidergeschäft „beständig", so bedeutet das für den Kunden negativ betrachtet, daß nichts Neues zu erwarten ist; aus einer positiveren Sichtweise aber auch, daß eine bewährte Marke oder ein bewährter Schnitt auch im nächsten Jahr noch erhältlich sein werden. Ist ein Friseurgeschäft oder ein Kosmetikstudio in rosa gehalten, so erwartet der Kunde Zuneigung und kommt ganz gezielt, um sein Herz auszuschütten oder um etwas Geborgenheit zu finden.

Was die Kunden

von Ihnen wünschen	Passende Farbe
Abwechslung, Spiel und Spaß	Kunterbunt
Anregung, Aktivierung	Rot
Attraktivität	Rosa
Aufgeschlossenheit	Orange

Beständigkeit	Braun
Begehrenswertes	Gold
Einfühlungsvermögen	Dunkelgrün, Purpur, Schwarz (Klarheit)
Erfahrung	Braun
Frieden	Grün
Fülle	Grün und Gold
Geborgenheit	Rosa
Gedächtnis und Erinnerungsvermögen	Gelb
Gelassenheit	Hellblau
Heiterkeit	Orange
Hingabe	Blau
Hoffnung	hellblau
Idealismus	Gold
Innere Größe	Purpur
Intelligenz	Schwarz, dunkle Farben
Korrektheit	Hellblau
Kreativität	Weiß und Schwarz, Türkis
Lebensfreude	Orange
Mündliche Kommunikation	Rot
Optimismus	Orange
Pflichterfüllung und Treue	Blau
Phantasie	Türkis
Reichtum	Purpur, Grün, Rot, Schwarz
Ruhe	Blau
Sauberkeit	Hellblau, Weiß, Hellgrün, Rosa
Selbstdarstellung	Türkis
Sicherheit	Braun, Blau und Grün
Sinnliche Genüsse	Rot
Stabilität	Braun, Dunkel
Überzeugungskraft	Rot und Weiß
Verstand, klar denkend	Rot und Weiß
Verständnis	Grün
Vertrauen	Braun
Verwandlung	Violett
Vorstellungskraft	Gelb, Türkis
Zuneigung	Rosa

Die 5 Tiere stehen für Ur-Bedürfnisse des Menschen

Teil 3

Die 5 Tiere

Während uns die 5 Elemente im fünften Teil des Buches erkennen helfen, wer sich mit wem in Harmonie befindet, stehen die 5 Tiere für fünf Ur-Bedürfnisse, die in uns Menschen wohnen:

Stabilität und Beständigkeit

Stärke, Kraft und Aktivität

Weite und Freiheit

Ruhe und Frieden

Sicherheit und Schutz

Jedes der 5 Tiere verkörpert eines dieser Bedürfnisse. Wir alle haben ein instinktives Gespür, wenn es um unser innerstes Wohlbefinden geht. Was uns allerdings immer wieder aus dem Gleichgewicht wirft, ist die Tatsache, daß unsere Bedürfnisse zum Teil im Gegensatz zueinander stehen. Da ist zum einen das Bedürfnis nach Sicherheit und Stabilität, aber gleichzeitig suchen wir das Gefühl von Freiheit und Weite. Wir wünschen uns Geborgenheit und Ruhe, streben aber ebenso nach Aktivität und Erlebnissen.

Da alle 5 Ur-Bedürfnisse in jedem von uns jederzeit präsent sind, sind wir hier an einem Schlüsselpunkt unserer inneren Zufriedenheit angelangt. Es gibt eine Lösung, diese 5 Bedürfnisse gleichwertig in unser Leben zu integrieren, und sie ist ebenso einfach wie sensationell. Es handelt sich um eine einfache, räumliche Aufteilung.

Jedes der 5 Bedürfnisse hat seinen festen Platz: vor uns, hinter uns, rechts und links von uns und unmittelbar vor uns.

Sicherheit und Schutz

Stellen Sie sich vor, Sie sitzen mitten in einem Raum auf einem Stuhl und hinter Ihnen geht jemand ständig auf und ab. Sie sehen nicht, was hinter ihrem Rücken passiert. Das empfinden wir alle als sehr unangenehm. Wenn Sie nun Ihren Stuhl mit dem Rücken zur Wand stellen, kann sich niemand mehr hinter Ihnen bewegen, die Wand bietet Ihnen Sicherheit und Schutz. Genauso wie die Wand, fest und stabil, ist auch der Panzer der **Schildkröte**. Den Schutz und die Sicherheit brauchen wir also im Rücken, wo wir keine Augen haben, am stärksten.

Stabilität und Beständigkeit

Wir haben eine linke und eine rechte Gehirnhälfte. Auf der linken Seite empfinden wir Störungen als äußerst unangenehm; unsere Reaktionen sind (selbst bei Linkshändlern) dort weniger spontan als auf der rechten Seite. Wenn wir in einem Kino sitzen und die Person zu unserer Linken nervös zappelt, so stört uns das bedeutend mehr, als wenn diese Person auf der rechten Seite sitzen würde. Zudem würden wir den Störenfried auf der rechten Seite auch zurechtweisen, weil unsere rechte Seite für Aktivität und Kraft steht. Unser linke Seite dagegen wünscht Stabilität und Beständigkeit, symbolisiert durch einen großen, starken **Drachen**, der immer und jederzeit für uns da ist. In der Wohnung oder im Büro steht hierfür ein stabiles Möbelstück, das uns bis zur Schulter reicht – wie ein Drache, der für uns da ist.

Weite und Freiheit

Wenn in einem Kaufhaus die automatischen Türen durch eine technische Überreaktion vor unserer Nase zuschließen, empfinden wir das garantiert als äußerst unangenehm. Wir alle brauchen freien Raum um uns, Bewegungsfreiheit, und zwar in aller erster Linie nach vorne. Wenn wir uns bewegen, gehen wir vorwärts, wenn wir uns setzen, wollen wir freien Raum vor uns haben, und im Büro suchen wir die Nähe eines Fensters, um in die Weite sehen zu können. Die Weite und die Freiheit verkörpert der **Phönix**, der Feuervogel, der sich jederzeit in die Luft erheben und davon fliegen kann.

Ruhe und Frieden

Stellen Sie sich vor, Sie sitzen an einem Tisch, sollten einen kleinen Brief schreiben, und unmittelbar vor Ihren spazieren auf dem Tisch Fliegen und Mücken auf und ab. Sie werden sich mit Sicherheit nicht konzentrieren können. Der unmittelbare Bereich, der sich vor dem Menschen befindet, verträgt keine Unruhe und keine Störung. Wir können uns noch so lange dagegen wehren, wenn es vor uns ständig blinkt, piepst oder sich bewegt, so macht uns dies nervös und lenkt uns ab. Die Ruhe und der Friede wird durch die unbewegliche **Schlange** dargestellt, die nur dann reagiert und sich aufbäumt, wenn eine Störung herbeigeführt worden ist.

Stärke, Kraft und Aktivität

Wir alle wollen in unserem Dasein etwas erleben, und die Tatkraft und der Lebenskampfgeist sind Zeichen unserer eigenen Stärke. Ob im Beruf oder privat, Stärke allein nützt nichts, sie will sich auch mit der Kraft anderer Menschen messen. Stärke ist aktiv, ständig in Bewegung oder zumindest auf der Lauer. Da wir körperlich am schnellsten auf der rechten Seite reagieren, ist hier auch unsere Stärke, unsere Kraft und unsere Aktivität zu Hause. Das passende Tier dazu ist der **Tiger**, immer ein wenig angriffslustig, aber nur dann gefährlich, wenn er eingeengt wird. Eine Wand oder ein Gestell bis unter die Decke, das sich unmittelbar neben unserem Sitzplatz auf unserer rechten Seite befindet, stört unseren „inneren Tiger" und bringt ihn unwillkürlich in Kampfposition. Er akzeptiert nur die gleich großen und die kleineren Gegenstände: Im Büro oder zu Hause sind das Möbel bis zur Hüfthöhe, aber auf keinen Fall größer.

Die 5 Tiere sind gleichzeitig auch Repräsentanten einer ganzen Gattung von Lebewesen und ihrer Eigenschaften:

Die **Geschuppten**	repräsentiert durch den Drachen
Die **Gefiederten**	repräsentiert durch den Phönix
Die **Behaarten**	repräsentiert durch den Tiger, manchmal auch durch das Einhorn
Die **Gepanzerten**	repräsentiert durch die Schildkröte
Die **Nackten**	repräsentiert durch die Schlange und manchmal auch durch den Menschen

Es gibt eine kurze Zeit in unserem Leben, in der wir alle die idealste Position nach den 5 Tieren genießen durften. Es war die Zeit, wo wir am zerbrechlichsten, am hilflosesten und am unschuldigsten waren – als Baby.

Genau so wie diese Mutter ihr Kind in den Armen hält bewirkt ihre Körperhaltung Schildkröten-, Tiger- und Drachenseite. Die Sitzposition selbst symbolisiert die Schlange und der freie vordere Bereich ist die Seite des Phönix.

Der Drache

Der Drache steht für Stabilität, Kraft und Weisheit. Die Seite des Drachens ist die linke, diejenige, die Mütter instinktiv wählen, wenn sie ihr Kind in den Arm nehmen. Das Gefühl, das uns eine gute Drachenseite vermittelt, besteht darin, daß wir uns um nichts sorgen müssen und daß auf uns aufgepaßt wird.

Der Drache ist entweder des Menschen bester Freund oder erbittertster Feind, aber es liegt immer am Menschen selbst, ob er den Drachen zum Freund oder Feind haben will. Somit ist der Drache auch ein Symbol dafür, daß das Schicksal in unserer eigenen Hand liegt und wir die Verantwortung für unser Leben nicht auf andere abwälzen können. Der Drache verkörpert auch das Männliche, die Autorität und die Stärke. Im Feng Shui steht dieses Tier auch für den Frühling, und seine Farbe ist grün (vergl. das Element *Erde*).

Wenn unsere linke Seite geschützt ist, fühlen wir uns wohl. Wenn wir sitzen und sich links von uns ein Regal befindet, das uns bis zu den Schultern reicht, verspüren wir eine große Geborgenheit. Wenn neben dem Haus, in dem wir wohnen, auf der linken Seite ein hoher Hügel oder große Bäume stehen, verkörpern sie den Schutz und die Stabilität des Drachens.

Der Tiger

Der Tiger steht für Stärke und Kraft sowie für den Lebenskampfgeist. Seine Seite ist die rechte. Das Bewußtsein einer guten Tigerseite vermittelt uns ein Gefühl von Aktivität und Erlebnis, jedoch verbunden mit der inneren Sicherheit, sich im Notfall auch selbst verteidigen zu können. Im Feng Shui steht der Tiger auch für den Herbst und die Farbe Weiß (vergl. das Element *Metall*).

Der Tiger ist kleiner als der Drache, daher ist die Tigerseite auch niedriger als die Drachenseite. Wenn Sie arbeiten, kann ein zusätzlicher Schreibtisch auf der rechten Seite genauso die Tigerseite verkörpern wie ein kleines Regal, das Ihnen bis an die Taille reicht. Wenn Ihr Nachbarhaus auf der rechten Seite niedriger ist als das Ihre, so vermittelt dies ebenfalls ein gutes Gefühl auf der Tigerseite. Im Gegensatz zu hohen Bäumen auf der Drachenseite empfehlen sich für die Tigerseite Büsche oder auch eine einstöckige Garage.

Die Schildkröte

Die Schildkröte steht für Stabilität und Sicherheit. Sie verkörpert die Seite, die hinter uns ist.

Da es uns nicht möglich ist, zu sehen, was sich hinter unserem Rücken abspielt, sind wir hier am unsichersten und am anfälligsten, was unser Wohlbefinden betrifft. Der starke Panzer der Schildkröte repräsentiert einen fast unbegrenzten Schutz, den wir als Gefühl von Stabilität und Unbeweglichkeit empfinden. Wenn sich hinter unserem Rücken nichts abspielt, müssen wir uns auch nicht mehr um eventuelle Störungen kümmern. Im Feng Shui verkörpert die Schildkröte auch den Winter und die Farbe schwarz (vergl. das Element *Wasser*).

Befindet sich bei uns zu Hause oder am Arbeitsplatz eine geschlossene Wand ohne Fenster hinter unserem Sitzplatz, so fühlen wir uns sicher, stabil und auch gestützt. Wenn sich hinter dem Haus, in dem wir wohnen, ein Berg (weiterer Verlauf der Drachenseite), große starke Bäume oder ein Gebäude befindet, empfinden wir die Wohnsituation als geschützt und stabil.

Der Phönix

Der Phönix ist, obwohl im Deutschen männlichen Geschlechts, eigentlich eine „Dame", so daß die korrekte Bezeichnung „die Phönix" lauten müßte. In China ist er/sie die Verkörperung des weiblichen Prinzips und bildet zusammen mit dem männlichen Drachen ein untrennbares Fabeltier-Pärchen. Der Phönix, wie wir ihn nun also mit Rücksicht auf die Sprachgewohnheiten des Deutschen nennen wollen, verkörpert das Weite und den unendlichen Horizont. Wenn wir in gerader Richtung nach vorne blicken, so ist dies der Bereich des Phönix. Wenn der Horizont vor uns frei ist, vermittelt uns die Phönix-Seite das Gefühl von Freiheit, Weite und unendlichem Horizont.

Der Phönix ist jener Feuervogel, der einer alten Sage zufolge aus der Asche empor gestiegen ist und somit das Prinzip der Unsterblichkeit verkörpert. Er steht für das Weibliche, die Anmut und die Inspiration und ist ein Symbol dafür, daß das Leben immer wieder neu geschaffen wird. Im Feng Shui verkörpert der Phönix auch den Sommer und die Farbe rot (vergl. das Element *Feuer*).

Wenn unsere Sicht frei und offen ist, spüren wir die wohltuende Wirkung der Weite und des unendlichen Horizontes. Ob dies nun der weite Raum vor unserem Schreibtisch im Arbeitszimmer ist oder der Blick in die Ferne, der sich vor unserem Fenster an der Vorderseite des Hauses auftut.

Die Schlange

Im Zentrum, in der Mitte, liegt eingerollt die Schlange. Sie symbolisiert die Wächterin, die alles schützt und bewacht, was uns lieb und teuer ist. Blitzschnell kann sie sich notfalls gegen jegliche Beeinträchtigung von außen verteidigen, aber meistens ist sie still und unbeweglich, eine Art Pol der Ruhe.

Die Schlange verkörpert auch die Fähigkeit, andere nach ihren besten Kräften zu lenken und zum Erfolg zu bringen. Ihr ist die Farbe gelb zugeordnet, jedoch keine bestimmte Jahreszeit. Wie beim Element *Erde* verkörpert sie vielmehr die *Übergänge* zwischen den einzelnen Perioden.

Interessant ist hier sicherlich die Tatsache, daß nicht nur die Schlange, sondern auch der Mensch gelegentlich als 5. „Tier" im Zentrum genannt wird.

Die 5 Tiere und die Wohnungseinrichtung

Greifen wir hier schon einmal ein wenig vor, denn auch ohne daß Sie viel von dem Fluß der Energien wissen (den wir im nächsten Hauptteil des Buches behandeln werden), können Sie dank der 5 Tiere Ihre Wohnqualität bereits erheblich steigern und verbessern. Das Grundmuster der idealen Anordnung der 5 Tiere hat einen enorm positiven Einfluß auf unser Wohlbefinden.

Die ideale Höhe der Tiger- und der Drachenseite hängt allerdings von der Tätigkeit ab, die wir im jeweiligen Raum verrichten. Stehen wir, so ist unsere Schulter höher, als wenn wir sitzen. Wenn wir liegen (Bett) braucht auch unsere Drachen- und Tigerseite entsprechend nochmals weniger hoch zu sein.

Hier ein Beispiel für eine „Kuschelecke" oder ein „Wohlfühlbüro" mit dem Potential für maximaler Arbeitsqualität

So oder ähnlich könnten auch in Ihrem Wohnraum die 5 Tiere Einzug halten. Das Bild gibt hierzu eine Anregung, die Sie beliebig variieren können. In der Mitte (Schlange) könnte ein Arbeitstisch, ein Clubtisch, dahinter Bürostuhl oder Sitzgruppe stehen; rechts (Tiger) ist eine kleinere Abgrenzung, links (Drache) eine stärkere vorhanden. Allerdings bedarf es auf beiden Seiten keines massiven Schrankes. Ein schöner Paravent, große Blumentöpfe, ein angebauter Schreibtisch oder etwas vergleichbares genügen vollauf. Wichtig ist lediglich, daß sich die beiden Höhen deutlich unterscheiden.

Teil 4

Das Pa-Kua

Das *Pa-Kua* (auch *Bagua* genannt) gehört zusammen mit dem *I-Ging* zu den ganz großen und alten Orakel- und Weisheitslehren. Es wird berichtet, daß einem chinesischen Kaiser beim Meditieren am Fluß (ca. 4.000 v. Chr.) eine Schildkröte begegnet sei, auf deren Panzer 9 Zahlen in der noch heute gültigen Darstellungsform aufgezeichnet gewesen seien. Die Schildkröte war im Altertum bei den Chinesen ein heiliges, in hohem Maße mit Symbolen belegtes Tier. Ihr Panzer war Sinnbild des (gewölbten) Himmels, und ihre Unterseite stand für die (flache) Scheibe der Erde. So beinhaltete die Schildkröte die Geheimnisse des Himmels und der Erde und verband sie zu einem Ganzen.

Das Pa-Kua ist ein Teil der chinesischen Numerologie, in der jede Zahl ihre ganz bestimmte Position einnimmt. Auch wird jeder Zahl eine Bedeutung zugeordnet. Die Interpretation der gegenseitigen Beziehung der einzelnen Zahlen zueinander ist dann allerdings, genauso wie beim *Tarot*, die „hohe Schule" und bedarf jahrelanger Erfahrung.

Die folgende Abbildung zeigt den „Panzer der Schildkröte", allerdings bereits in der Form einer Schablone, wie sie allgemein verwendet wird.

4	9	2
3	5	7
8	1	6

Die Summe jeder Reihe (waagrecht + senkrecht) ergibt immer 15.

Jede Zahl hat traditionell eine bestimmte Bedeutung, und wenn
wir die Zahlen durch die entsprechenden Worte ersetzen, ergibt sich
folgendes Bild:

Reichtum	Ruhm	Partnerschaft
Familie	Gesundheit Tai-Chi Mitte	Kinder
Wissen	Karriere	Freunde

Dieses magische Zahlenquadrat wird in der praktischen Anwendung im Feng Shui dem quadratischen Grundriß eines Hauses oder
einer Wohnung gleichgesetzt.

In der einfacheren Deutungsweise ist der Eingang immer auf der
untersten Linie des Quadrates. Weiterführend wird dann noch die
Himmelsrichtung (des Eingangs) mit einbezogen, wobei dann die
Deutung vorzugsweise durch die 8 *Trigrammen* des *I Ging* kom-
plettiert wird.

Die folgende Abbildung zeigt das komplette Pa-Kua. Die Anordnung der Trigramme ist nach „der Sequenz des *postnatalen Him-
mels*" gegliedert; die Trigramme stehen in Wechselwirkung
zueinander und bilden wie die 5 Elemente einen unendlichen Zyklus.
Diese Abbildung könnte für Sie einmal sehr wertvoll werden, falls
Sie sich später tiefer mit den Himmelsrichtungen und dem
I Ging befassen möchten. Die Trigramme werden übrigens in einem
Kreis immer von innen nach außen gezeichnet; die Grundlinie entspricht der innersten Linie. Bei den Pa-Kua-Spiegeln, die im Feng
Shui als Hilfsmittel eingesetzt werden, finden die Trigramme eine
andere Anordnung, die des *pränatalen Himmels*. Die einzelnen Tri-
gramme werden einander so gegenübergestellt, daß die Mitte immer ein Ausdruck von Harmonie ist.

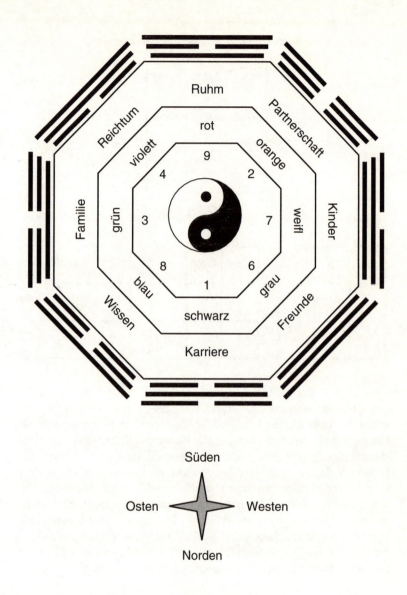

Das Pa-Kua als Schablone des Lebens

Wenn wir die Pa-Kua-Schablone über den Grundriß unserer Wohnung legen, sehen wir, welche Räume und Lebensbereiche miteinander gekoppelt sind.

Beginnen wir nun mit der einfachsten Schablone:

Reich-tum	Ruhm	Partner-schaft
4	9	2
Familie	Gesund-heit	Kinder
3	5	7
Wissen	Karriere	Freunde
8	1	6

Ausgangspunkt ist der Wohnungs-, Haus- oder Geschäftseingang.

4	9	2
3	5	7
8	1	6

4	9	2
3	5	7
8	1	6

4	9	2
3	5	7
8	1	6

Der Eingang wird auf die Grundlinie „gelegt", und kommt somit entweder auf Feld 8, 1 oder 6. Maßgebend ist Ihre persönliche Eingangstüre. Wenn Sie beispielsweise einen „Nebeneingang" zum Haupteingang gemacht haben, so zählt dieser als Orientierungspunkt für das Pa-Kua. Bei Geschäften, die durch eine Hintertüre vom Personal oder von Ihnen betreten werden, gilt allerdings die Türe, durch welche die Kunden den Laden betreten. In Einfamilienhäusern gilt für den oberen Stock der oberste Treppentritt „als letzter Schritt zum Stockwerk" und ist damit ausschlaggebend für die Richtung der gesamten Etage. Jedes Stockwerk ist einzeln zu betrachten, da die Treppe meist eine Verschiebung um 90° bewirkt.

Nicht quadratische Grundrisse

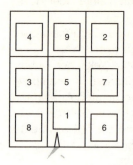

Kaum jemand lebt in einer völlig quadratischen Wohnung, und daher wird die Schablone teilweise angepaßt.

Bei rechteckigen Grundflächen wird in 9 gleich große Teile unterteilt.

Die Eingangstüre ist wie gehabt auf der Grundlinie, die 9 Sektoren erhalten nun eine leicht rechteckige Form.

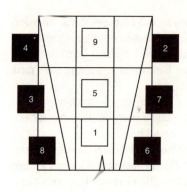

Bei trapezförmigen, ovalen, halbrunden und anderen Formen sind die breitesten Seiten maßgebend.

Diese Abbildung zeigt bereits deutliche Mängel in den Bereichen Wissen (8) und Freunde (6) sowie ein reduziertes Vorkommen bei Familie (3) und Kinder (7).

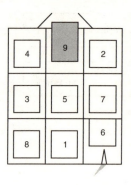

Ausbauten haben einen besonderen Stellenwert, allerdings sollten sie maximal 50 % der Länge eines Sektors betragen. Kleine Ausbauten bringen immer ein Plus in dem jeweiligen Bereich. Hier ist jedoch dem Energiefluß eine erhöhte Aufmerksamkeit zu widmen, damit keine Quelle für schädliche Sha-Energie entsteht.

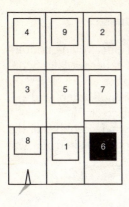

Eine andere Erscheinungsform ist das teilweise oder ganze Fehlen eines oder zweier Sektoren.

Zahlreiche Häuser und Gebäude weisen diese unvollständigen Formen auf, sei es wegen großer Vorbauten, seitlichen Anbauten, internen Unterteilungen innerhalb des Hauses oder zu gut gemeinten Ausbauten.

In diesem Beispiel fehlt Sektor 6, der Freunde bedeutet, und ein Teil von Sektor 7, der für Kinder steht.

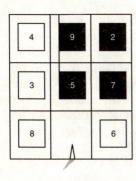

Als ganz besonders mangelhaft schneiden die L-förmigen Bauten ab, da hier zwangsweise mindestens 1 Sektor komplett und 2–3 weitere Sektoren teilweise bis ganz fehlen.

Wenn das Zentrum, wie in diesem Beispiel, fehlt, ist dies vergleichbar mit einem Menschen ohne Herz.

In diesem Beispiel fehlen ebenfalls Partnerschaft (2), ein Teil von Kinder (7), ein Teil von Ruhm (9) und ein Teil vom oben erwähnten Zentrum (5), das gleichzeitig auch Gesundheit bedeutet.

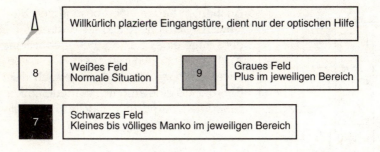

Ausnahmen, Anmerkungen und Zusatzinformationen

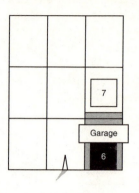

Zu den meisten Häusern gehören Garagen. Sie werden „zum Haus dazu gezählt", wenn sie mit diesem „unter einem Dach sind."

Eine Garage zählt aber nur dann zum lebenden (belebten) Teil eines Hauses, wenn sie zu mehr als nur der Unterkunft des Autos dient. (Werkstatt, in der regelmäßig gearbeitet, repariert oder getüftelt wird).

Bei nebenstehendem Beispiel ist eine normale Benützung der Garage gleichzusetzen mit dem Fehlen des gesamten Sektors 6 (Freunde) sowie einen kleinen Teil von Sektor 7 (Kinder).

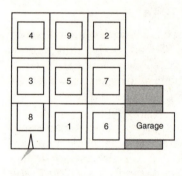

Angebaute Garagen zählen nicht zum Haus, da sie keine belebten Teile repräsentieren.

Der Grundriß des Hauses hätte somit wieder eine klassische Rechteckform.

Wird allerdings die Garage regelmäßig genützt wie ein normales Zimmer innerhalb des Gebäudes, erhält sie den Stellenwert eines Anbaus.

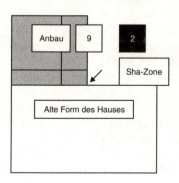

Anbauten sind, durch die Augen des Feng Shui betrachtet, leider meistens „die schlechteste aller Lösungen". Sehr oft erhalten rechteckige Häuser einen Anbau vorgesetzt, der nicht nur die einzelnen Pa-Kua-Zonen in den Manko-Bereich bringt, sondern zudem durch die L-Form das Sha anzieht und sammelt.

Nach Fertigstellung des Anbaus fehlt der gesamte Sektor 2 (Partnerschaft) und ein Teil von Sektor 9 (Ruhm). Die innere Ecke des „L" ist immer ein Sammelpunkt von Sha; die Energie wird dort gefangen und kann nicht mehr sanft fließen.

Gua (Sektor) 1: Karriere

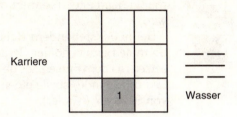

Wasser steht für den 1. Sektor und ist das Symbol, wie wir unseren Lebensweg meistern, von der Quelle (Geburt) bis hin zum großen, unendlichen Meer (Lebensende). Nun befinden wir uns alle irgendwo mitten drin im Strom unseres Lebens, und dieser Sektor reflektiert, wie stark, wie breit, wie leicht und geschmeidig aber auch wie klar unser eigener Fluß fließt.

Während unseres ganzen Lebens sind wir in stetiger Veränderung, im Fluß unserer Entwicklung. „Karriere" meint daher nicht nur den beruflichen Lebensweg, sondern die Art, wie wir unser gesamtes Leben gestalten. Hier stellt sich selbstverständlich auch die Frage nach Beruf und Berufung, ob und wie gut es uns gelingt, diese beiden wichtigen Komponenten zu verbinden und ob unser Ziel innerhalb der gegebenen Bahn überhaupt erreicht werden kann. Weiter spiegelt diese Zone die „Leichtigkeit des Seins", auf welche Art und Weise wir mit Schicksalsschlägen umgehen, ob wir uns in schwierigen Lebenslagen wieder aufraffen können, ob wir Ideen entwickeln, um mit neuem Mut und frischer Tatkraft den schwierigen Situationen zu begegnen.

Wasser findet immer einen Weg, um weiterzukommen. Es ist härter als Stein und läßt sich von nichts und niemandem aufhalten. Dieser Sektor vermittelt uns daher auch Hoffnung, denn im übertragenen Sinn bedeutet Wasser auch, daß für jedes Problem mindestens zwei Lösungen da sind und es an uns liegt, zu suchen, zu wählen und zu handeln.

Die Gestaltung von Sektor 1

Wasser ist am schönsten, wenn es in sanften, geschwungen Bahnen fließen kann, wenn es hell und klar ist wie ein Bergbach, der durch seine wilde Romantik verzaubert. Flüsse, die in einbetonierte gerade Kanäle gezwungen wurden, oder trübe, stehende Gewässer haben diesen Charme so ziemlich verloren. Der Sektor 1 verlangt daher nach hellen, sanften, fließenden Farben und Formen, nach Frische und Freiheit, nach Weite und Luft. Je weniger Möbel in diesem Sektor plaziert sind, desto besser. Vor allem darf Ihnen hier nichts den Durchgang blockieren, denn sonst wäre es fast so, als ob Sie sich selbst den Weg verstellen würden.

Besondere Hinweise, wenn Ihr Eingang in Zone 1 liegt:

Da der Eingang meistens auch für das Deponieren von Kleidern, Schuhen, Schirmen, manchmal sogar von Fahrrädern benützt wird, kommen Sie bei dieser Konstellation ganz schnell in Konflikt mit dem Wesen der äußeren Form dieses Sektors. Versuchen Sie so weit wie möglich, alles, was den Weg und die Sicht versperrt, anderweitig zu plazieren. Wenn die Sachen in einem Schrank an der Rückseite untergebracht werden können, wirkt dies ordentlicher als eine offene Garderobe.

Gua (Sektor) 2: Partnerschaft

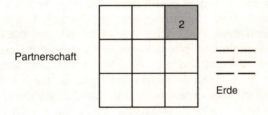

Eine Partnerschaft ist eine Form der Zusammengehörigkeit, bei der gemeinsam Ziele verwirklicht und gemeinsam Neues bewirkt wird. Es gibt verschiedene Arten von Partnerschaften. Die wertvollsten unter ihnen sind freiwilliger Natur (Lebenspartner und Freunde), danach folgen die halbfreiwilligen (Berufskollegen und Nachbarn)

und schließlich die unfreiwilligen (Verwandtschaft, aber dazu zählen auch Ämter, Steuerbehörden und Gefängnisse).

Im Bereich Partnerschaft spiegelt sich also der gesamte zwischenmenschliche Bereich wieder, und nicht nur unsere Beziehung zu jenen Menschen, an die wir spontan denken, unsere Nächsten und Liebsten.

Jede Verbindung ist ein Zusammenspiel von ununterbrochenem Geben und Nehmen, versinnbildlicht durch die Erde, das Sähen und das Ernten. Kein Obstgarten kann mehr Früchte geben als zuvor Bäume gepflanzt worden sind. Und genauso werden auf einem Feld nie Ähren wachsen, wenn man nicht bereit ist, vorher entsprechend zu sähen. Aber ebensowenig sinnvoll ist es, mehr Bäume zu pflanzen, als man in der Lage ist, zu bewirtschaften. Der zweite Sektor versinnbildlicht daher auch den Ratschlag, sinnvoll, tolerant und respektvoll mit Freunden, Mitmenschen und allen Lebewesen umzugehen, weil wir alle durch den Kreislauf der Erde miteinander verbunden sind.

Wir Menschen sind, auch wenn wir manchmal gerne allein sind, nicht zu einem Einsiedlerdasein bestimmt. Wir alle brauchen Freunde und, wenn möglich, einen ganz besonderen Menschen, der oder die das Leben mit uns zusammen erleben möchte. Der Sektor 2 ist daher ganz elementar für unser Wohlbefinden und sollte in einer Wohnung unter keinen Umständen fehlen.

Die Gestaltung von Sektor 2

Dieser Sektor verlangt eigentlich die doppelte Aufmerksamkeit, denn zum einen geht es um die Beziehung, die andere Menschen zu Ihnen haben, gleichzeitig aber auch um die Beziehung, die Sie selbst den anderen Menschen gegenüber pflegen. Wer Pflanzen liebt und sie regelmäßig pflegt, kann somit im Sektor 2 zum Ausdruck bringen, daß er für anderen da sein möchte, und daß man auf ihn zählen kann. Dafür gehören alle Dinge, die auf irgendeine Weise mit Waffen, Konfrontation, mit Ein- und Ausgrenzung zu tun haben (selbst wenn sie noch so kostbar sind), auf keinen Fall in diesen Bereich. Eine einzige Ausnahme ist allerdings erlaubt und sogar förderlich. Da das Element Erde auch dem weiblichen Prinzip entspricht, ist diese Zone für Frauen sehr geeignet, um zu neuen Kräften zu kommen. Im 2. Sektor sind Partnerschaftsbilder, harmonische Gegenstände und Farben sowie die lieben, sanften Formen und Dinge zu Hause, wogegen die Schmutzwäsche und das dreckige Geschirr hier keinen Raum finden sollten.

Gua (Sektor) 3: Familie

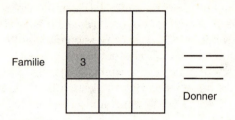

Erst leuchtet der Himmel, wenn der Blitz erscheint und sich entlädt, dann kündigt sich der Donner lautstark an und verkündigt den 3. Sektor. Wenn es im Himmel grollte und krachte, war es für die alten Griechen, als ob die Götter mit den Menschen schimpften, eine ernsthafte Auseinandersetzung von den „Grossen" mit den „Kleinen". Ganz ähnlich ist die Betrachtungsweise der Chinesen, so ist der Blitz das Symbol der Eltern und der Donner sind die Kinder. Wenn jemand in der glücklichen Situation ist, daß ein oder beide Elternteile leben und selber Kinder hat, so wird dieser Mensch gleichzeitig Blitz und Donner. Donner im Verhältnis zu den eigenen Eltern und Blitz im Bezug zu seinen Kindern, die dann ihrerseits wiederum den Donner verkörpern.

Dieser Sektor ist somit ein Spiegelbild der Art und Weise, wie wir uns innerhalb von hierarchischen Strukturen bewegen, wie wir damit umgehen können und wie wir uns in eine Gemeinschaft integrieren.

Eltern und Vorgesetzte geben Ihren Kindern und Mitarbeitern dann Verantwortung, wenn diese bereit sind, sie auf sich zu nehmen und nach bestem Wissen und Können damit umgehen. Eine Verantwortung zu erhalten ist von Seiten einer „höhergestellten" Person immer ein Zeichen von Respekt und Ehrerbietung. Gleichzeitig ist das Annehmen von Verantwortung durch die „untergeordnete" Person immer ein klares Signal von persönlichem Wachstum, von Reife und vom persönlichen Übergang vom „Donner" zum „Blitz".

Ohne Eltern gibt es keine Kinder und ohne Unternehmer keine Unternehmung. In unserer Kultur stehen die Verehrung von Eltern und Vorgesetzten, aber auch der Kult der Ahnen nicht sonderlich hoch im Kurs. Betrachtet man allerdings unter diesen Gesichtspunkten die Dankbarkeit, den Respekt und die Demut, die in China gepflegt werden, so wird das Verständnis auch für uns Westler um Vieles größer.

Die Gestaltung von Sektor 3

Hierarchische Strukturen und Verantwortung verlangen eine klare Linie. Ein äußeres Zeichen dafür, daß jeder den ihm zugewiesenen Aufgabenbereich erkannt hat und dies auch entsprechend umsetzen kann. Daher sind in diesem Bereich die klar konturierten und geraden Schränke und Tische gut plaziert. Möbel, die den Sektor aufspalten sowie auch quer gestellte Gegenstände sind ein Signal dafür, daß die bestehende Hierarchiestruktur nicht akzeptiert wird. Herrscht im Sektor Familie ein chaotisches Durcheinander, so wird damit zum Ausdruck gebracht, daß das bestehende Gefüge entweder bereits gestört ist oder in Zukunft massiv gestört werden soll.

Wenn sich eine zweite Türe in diesem Sektor befinden sollte, wäre hier zur Markierung der Hierarchie der ideale „Dienstboten-Eingang" zuzuweisen. Oder die Türe zum Garten, welche die Grenze zwischen Innen und Außen verdeutlicht. Falls Sie Bilder von Familienmitgliedern wie Eltern und Ahnen aufhängen möchten, bietet sich diese Zone besonders an. Allerdings haben all jene Personen keinen Anspruch auf einen Platz an Ihrer Wand, denen Sie mit negativen Gefühlen gegenüberstehen.

Gua (Sektor) 4: Reichtum

Reich ist, wer über genügend materielles Hab und Gut verfügt, wer den inneren Frieden gefunden hat, vor Zufriedenheit, Gesundheit und Glück strotzt und zudem hilfreiche Freunde hat. Reich ist, wer von seinem Schicksal in vollem Umfang verwöhnt wird. Im Sektor 4 liegt „Das Geheimnis inneren und äußeren Reichtums".*

Doch das Schicksal liegt zum großen Teil bei uns selbst. Hierzu eine kleine Zen-Geschichte: Ein Schüler wollte seinen Meister te-

---

* siehe gleichnamigen Titel, der im Windpferd Verlag erschienen ist.

sten und fing sich einen Spatz. Daraufhin fragte er seinen Meister: „Sag mir, ob der Vogel, den ich in der Hand halte, lebt oder tot ist." Dabei dachte er sich folgendes: Sagt der Meister, daß der Vogel lebt, werde ich ihn zerdrücken, antwortet er aber, daß er tot ist, so lasse ich ihn fliegen. Somit hat der Meister auf jeden Fall unrecht. Doch der alte Mann gab ihm folgende Antwort: „Das Schicksal liegt immer in Deiner Hand."

Wie der Wind, Symbol für Reichtum, alles und jeden berührt, wenn er durch die Lande streift, werden auch wir alle immer und immer wieder vom inneren und äußeren Reichtum angehaucht und gestreift. Wir alle werden Tag für Tag von kleinen oder auch großen Chancen berührt; wir müssen nur bereit sein, sie wahrzunehmen. Doch manchmal sind wir von unseren Sorgen und Nöte so zugedeckt, daß wir den Wind gar nicht mehr spüren können. Dann fliegen die Chancen weiter, bis jemand anders sie ergreift und gedeihen läßt, wie die Blütenpollen, die im Frühling durch die Luft schweben und im Sommer bereits blühen.

Die Gestaltung von Sektor 4

Dieser Raum ist ganz besonders wichtig für unser Leben, denn das Geld ist nun einmal erschaffen worden, und wir unterliegen alle den daraus entstandenen Verknüpfungen und Verpflichtungen. Genauso zentral sind jedoch auch der innere Reichtum und die Zufriedenheit. Der Wind „bringt" den Reichtum, und frische Luft ist durch seinen Hauch stets vorhanden. Was immer Sie in diesem Raum aufstellen, sollte, bildlich gesehen, vom Wind und somit vom Reichtum geküßt werden und erwachen können. Wenn Sie nun also Ihren Medikamentenschrank im Sektor 4 haben, werden sie von zahlreichen Krankheiten gesegnet werden, was vermutlich kaum mit ihren Zielen übereinstimmt. Richten Sie daher diesen Bereich ganz sorgfältig ein. Die Frage: „Möchte ich das, was der Gegenstand symbolisiert, wirklich in Fülle haben?" kann Ihnen bei der Auswahl helfen. Arbeiten, die Sie vom Büro mit nach Hause nehmen, haben in diesem Raum nichts zu suchen, denn sonst haben Sie mit der Zeit eine ganze Fülle davon. Am Rande noch ein kleiner Hinweis: Leere Behälter, Kristallschalen, Zierbrunnen und Aquarien ziehen nach Feng Shui das Chi und den materiellen Reichtum an.

Gua (Sektor) 5: Die Mitte

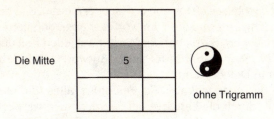

Die Mitte einer Wohnung ist ein Ort der Kraft, von dem aus die gesamte Wohnung und deren Bewohner genährt und gestärkt werden. So wie bei einem Menschen das *Tantien* (in anderen Quellen „Dantien"; japanisch *Hara*) zu einem unerschöpflichem Reservoir an hochpotenzierter Energie anwachsen kann, übernimmt das Zentrum einer Wohnung die Funktion, seine geballte Kraft in alle Räume weiterzuleiten und sie mit der Lebensenergie zu versorgen.

Der Sitz des Tantien ist etwa zwei Handbreit unterhalb des Solarplexus, wobei beide Zentren fest miteinander verbunden sind. Es entsteht ein Prozeß von Aktion und Reaktion: Der Energieaufbau findet im Tantien statt, und als Reaktion folgt ein überwältigendes Gefühl von Stärke, Kraft, Freude und Liebe im Solarplexus (Die nächste Verbindung führt zum dritten Auge).

Das Zentrum steht zudem für einen weiteren zentralen Bestandteil unseres Seins: Unsere Gesundheit. Damit verbunden ist im Alltag die Stabilität unserer Körperkräfte und bei Krankheiten und Unfällen die Förderung der Heilung und der Genesung.

Die Gestaltung von Sektor 5

In sehr unterschiedlichen Gegenden der Welt, von Spanien, Frankreich bis nach China wurden Gebäude mit einem Innenhof im Zentrum errichtet. Diese Bauweise ist eine Art von „gelebtem Feng Shui", wobei sicherlich die wohltuende Wirkung den Anstoß gegeben hat. Ein Innenhof gibt den Blick zum Himmel frei und das von den Pflanzen erzeugte Chi wird zusammen mit frischer Luft in das Haus getragen. Dies ist die idealste Form für Sektor 5. Doch die wenigsten Menschen sind mit diesem Luxus der Baukunst gesegnet. Eine ganz einfache und zentrale Regel hat jedoch bei jeder Bauweise für den mittleren Sektor Gültigkeit: Die Energien möchten und müssen frei fließen können, und jede Form von dichter Möblierung oder gar von Überladung blockiert den Energiefluß. Die fließenden Energieformen sind eine Form von Chi, nicht weniger wichtig sind im Zentrum auch die beiden anderen Spielarten von Chi: Licht und Wärme. Die beste, schönste, hellste und wärmste Beleuchtung kommt dem Zentrum zu, und dazu gehört natürlich auch die Wahl einer etwas kostbareren Lampe. In der kälteren Jahreszeit möchte das Zentrum auch immer gut beheizt sein, selbst wenn ein Teil von Sektor 5 mit dem Korridor verbunden sein sollte. Andernfalls fehlt ihm die wärmende Kraft, die es gerne in die anderen Räume abgeben möchte, um wie eine Sonne zu strahlen und die äußeren Bereiche der Wohnung mit seiner Freude anzustecken und mit seinem Licht zu erhellen.

Gua (Sektor) 6: Freunde

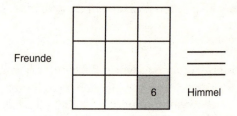

Der Himmel ist mehr als die Luftschicht, die sich über uns befindet. Es ist der Ort, wo wir unsere Wünsche hinschicken, wo die Schutzengel „wohnen", und irgendwo da oben sind auch all die guten Geister und die Seelen all jener Menschen, die vor und von uns gegangen sind.

In der Bibel heißt es: „Bittet, und es wird Euch gegeben." Wir bitten diejenigen um Hilfe, denen wir vertrauen, die wir in unser Herz geschlossen haben oder die wir gut kennen: unsere Freunde. Dabei spielt es keine Rolle, wie weit sie von uns weg sind, ob sie im Himmel oder ob sie gleich in der Nachbarschaft wohnen.

Geben und Nehmen ist ein stetiges Wechselspiel, das keiner speziellen Vorbereitung bedarf und keiner bestimmten zeitlichen Qualität zuzuordnen ist. Eine hilfreiche Hand, ein nettes Wort, ein kurzes Anpacken – all dies und noch vieles mehr gehört dazu.

Dieser Sektor symbolisiert die gelebte Hilfsbereitschaft und die spontane Menschlichkeit. Er zeigt uns, wie wir damit umgehen können, ob wir sie annehmen und ob wir bereit sind, dies auch mit anderen Menschen zu teilen.

Die Gestaltung von Sektor 6

Wir alle lieben den Himmel, wenn die Sonne scheint und flüchten, wenn schwarze Regenwolken als düstere Vorahnung über uns schweben. Der Teil der Wohnung, der mit Sektor 6 zusammenfällt, „schätzt" deshalb Licht, Helligkeit und „einen großen weiten Himmel". Je niedriger die Möbel sind, desto höher erscheint die Decke. Geschenke, die wir von Freunden erhalten haben, verbinden uns im Geist noch tiefer, denn wir werden dadurch immer wieder an sie erinnert. Um unsere Freunde, aber auch die bestehenden Freundschaften zu ehren, gibt es keinen schöneren Platz als Sektor 6. Schutzengel, Buddha-Statuen und überhaupt alle Dinge, die uns in persönlicher Form mit der geistigen Welt verbindet, schenken uns hier Inspiration und unendlich viele gute, schöne Gefühle und Momente.

Besondere Hinweise, wenn Ihr Eingang in Zone 6 liegt

Versuchen Sie Ihren Eingangsbereich so zu gestalten, als ob er ein ganz normaler Wohnraum und nicht ein Flur wäre. Irgendwo werden Sie sicherlich ein Plätzchen für die Garderobe finden. Licht und tiefe Möbel sind ganz wichtig, ebenso das Aufstellen der Gegenstände, die Ihnen von Freunden geschenkt worden sind. Bilder im Eingangsbereich haben natürlich einen besonderen Stellenwert, denn sie vermitteln einem Besucher, der zum ersten Mal Ihre Wohnung betritt, einen ersten Eindruck von Ihrem Innersten. Wenn die optisch sichtbare Verbindung zur geistigen Welt (Engel etc.) für Ihren Geschmack zu mystisch ist, wählen Sie irgendein Bild, das für Sie persönlich diese Verbindung spürbar macht. Es gibt für diese Gefühle weder Regeln noch Vorschriften.

Gua (Sektor) 7: Kinder

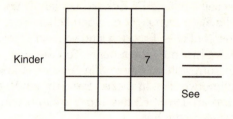

Nachdem das Wasser seine anstrengende Reise durch die vielen Bäche und Flüsse hinter sich hat, ruht es sich im See aus und genießt das Sein. Wenn wir am Abend von der Arbeit nach Hause kommen, dann können auch wir uns ausruhen, einfach „sein" oder den Hobbys, der Muße und den Künsten frönen. Unsere Talente und Inspirationen, die während der Arbeit nicht zur Geltung kommen konnten, dürfen wir nach Herzenslust ausleben. Wir sind an unserem wohlverdienten Feierabend völlig frei, zu tun und zu lassen, was wir wollen – wie kleine Kinder, die beim Spielen die Welt vergessen.

Wir alle sind irgendwie Kinder geblieben, die einen mehr, die anderen weniger. Dies hat nichts mit der Frage der Intelligenz zu tun. Inspiration, Kreativität, schöpferische Aktivität, das alles wird „beim Spielen" geweckt, entwickelt und gefördert. Plaudern, plappern, gemütlich zusammenzusitzen, ohne auf die Uhr schauen zu müssen, das alles sind Freuden des Lebens, die sich Kinder einfach nehmen und die wir Erwachsene manchmal vor lauter Streß und Hektik verkümmern lassen. Die leiblichen Genüsse werden ebenfalls diesem Sektor zugeteilt, weil auch „das hemmungslose Genießen", wie Kinder es oft an den Tag legen, eine Form der Freude darstellt und bei vielen Menschen einen überdurchschnittlichen Stellenwert einnimmt.

Sektor 7 ist eine ganz konkrete Aufforderung an uns alle, nicht nur dem „Ernst des Lebens" sondern auch der unbeschwerten Sonnenseite unsere Beachtung zu schenken.

Die Gestaltung von Sektor 7

Dieser Raum dient den Freuden des Lebens, was immer Sie persönlich darunter verstehen mögen. Für die einen ist der 7. Sektor der ideale Platz, um das Klavier aufzustellen, die anderen malen und basteln, und wieder andere stellen einen echten „Spieltisch" in diesen Bereich. Wer am Abend am liebsten einen Film ansieht, könnte hier seine private TV-Ecke einrichten. Grundsätzliche Richtlinien für die Möblierung gibt es eigentlich in diesem Sektor nicht, denn die persönlichen Freuden sind so mannigfaltig, daß die einzige Direktive hier nur lauten kann: Tun Sie alles, was Ihnen hilft, sich rundherum wohl zu fühlen! Eine einzige Anmerkung ist allerdings noch notwendig: In diesen Bereich gehört nichts, was Sie belastet, was an den Streß des Tages erinnert und was mit Pflichten und Arbeit zu tun hat.

Interessant ist vielleicht noch die Beobachtung, daß in Wohnungen, bei denen Sektor 7 ganz oder teilweise fehlt, bei den Bewohnern die Zahl der „Frustkäufe" zunimmt, die dazu dienen, die fehlenden Freuden des Lebens wieder auszugleichen. So wird häufig Geld für völlig überflüssige Dinge ausgegeben.

Gua (Sektor) 8: Wissen

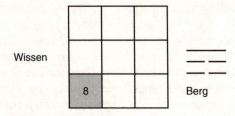

Unbeweglich, fest und unerschütterlich steht der Berg in der Landschaft. An ihm ziehen Wasser, Donner, Wind und Himmel vorbei. Sie erzählen ihm ihre Geschichte, und der Berg hört zu und schweigt weise.

Einen Berg bringt man nicht so schnell ins Wanken, er ist innerlich gefestigt und steht selbst in der größten Hektik und im größten Trubel einfach still.

Ein Berg ist „die Ruhe selbst", läßt sich durch keine äußeren Einflüsse aus dem Gleichgewicht bringen und greift nicht in fremde Handlungen ein.

Wind		
Donner		
Berg	Wasser	Himmel

132

Der Berg zeigt uns wie ein alter, erfahrener Lehrmeister, daß wir äußerlich nur stark sein können, wenn wir uns innerlich festigen. Wissen und Weisheit sind innere Werte, die wir in der Ruhe, in der Stille und im inneren Gleichgewicht finden und entwickeln können. Aber die wohl wesentlichste Voraussetzung dafür ist, daß wir lernen, soviel wir nur können. Lernen und Wissen gehören untrennbar zusammen, ebenso natürlich das Verstehen und Begreifen.

Die Gestaltung von Sektor 8

Ein Berg ist groß, stark und stabil. Wenn Sie diesen Sektor für Wissen und Weiterbildung nützen, dann darf auch die Möblierung in diesem Raum wie die einer „alten englischen Bibliothek" ausfallen: groß, schwer und bis oben hin mit Büchern gefüllt. Wenn Sie eher zur Meditation tendieren, bietet sich hier vor allem die japanische Variante an: Ganz spartanisch eingerichtete Räume, leere Schachteln, leere Krüge und leere Gefäße zum Zeichen dafür, daß der Geist noch sehr „leer" ist, aber gerne mit Wissen gefüllt werden möchte.

Besondere Hinweise, wenn Ihr Eingang in Zone 8 liegt

Jeder Berg bietet auf einer Seite Schutz, und der Eingang in diesem Bereich bedeutet, daß Ihr Eingang besonders gut geschützt (beschützt) ist. Hier dürfen Sie (zur Abwechslung) auch einmal einen großen Kleiderschrank aufstellen und größere Möbel wählen. Wenn Sie allerdings wenig Weiterbildung betreiben und wenn Meditation und Wissen nicht gerade Ihre Stärken sind, dann bieten sich eher kleinere Möbel an, weil die Einrichtung den Besuchern ansonsten ein falsches Gefühl vermitteln würde. Diese werden beim Anblick einer Bibliothek nämlich spontan tiefgreifende weltanschauliche Themen anschneiden, weil sie denken, daß darin Ihre Passion besteht.

Der Berg ist das einzige Pa-Kua Symbol, das seine Größe nicht kurzfristig verändern kann (im Gegensatz etwa zu Feuer, Wasser, Wind usw.) Daher sollte der Grundriß im Bereich 8 weder Erweiterungen noch Defizite aufweisen.

Gua (Sektor) 9: Ruhm

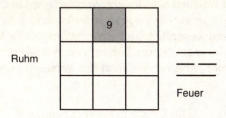

Auf dem Weg vom unerfahrenen Schüler zum großen Meister verkörpert der 9. und letzte Sektor das helle Feuer der Erleuchtung, das Licht in der Dunkelheit, das den Weg zum Ziel weist.

Genauso wie das Feuer noch im Umkreis von einem Meter oder mehr alles erwärmt, kann eine Person, welche die Kraft des Feuers und der Weisheit in sich trägt, die ganze Umgebung in ihren Bann ziehen und erwärmen.

In unserem täglichen Leben sind Anerkennung, Ruhm und Ansehen eine Art Lohn für außerordentliche Verdienste und Leistungen. Außergewöhnliche Taten werden gewürdigt, und die Person erntet ehrerbietigen Respekt oder einen gesellschaftlich höheren Status.

Das Selbstvertrauen und das Selbstwertgefühl eines Menschen werden sehr stark durch die ihm entgegengebrachte (oder fehlende) Anerkennung geprägt. Wer sich selber in dieser Richtung ein wenig stärken möchte, kann im 9. Sektor einen „Sitz der Erkenntnis" aufstellen, in dem er wieder mehr innere Festigkeit gewinnen oder Gedankenanstöße erfahren kann, die ihm einen neuen Weg weisen.

Die Gestaltung von Sektor 9

Ruhm und Anerkennung wird immer durch die Farbe Rot dargestellt, von den roten Teppichen und Ordensschärpen in der Politik bis hin zum roten Briefumschlag, der einen besonderen Inhalt verspricht. Weisheit und Erleuchtung dagegen bedeuten, daß nun für den Wissenden alles klar, transparent und unverhüllt geworden ist und auch das letzte Geheimnis entschlüsselt ist. Dieser Sektor schätzt daher alles Klare, Transparente und Vollendete, aber ebenso dynamische Formen und Farben, wobei Rot und Orange klaren

Vorrang haben. Viel wichtiger als die Größe und Gestalt von Möbeln ist, daß alles in diesem Sektor in einwandfreiem Zustand ist. Vollendung drückt sich nun einmal nicht in einem defekten Wandschrank oder einer schmutzigen Fensterscheibe aus. Dies ist einer jener Sektoren, der uns eine doppelte Aufmerksamkeit abverlangt. Wo hohe Ansprüche bestehen, müssen auch hohe Ansprüche erfüllt werden. Lohnenswert ist es auf jeden Fall.

Spezielle Hinweise, die für alle Sektoren Gültigkeit haben

Treppen, die **nach oben** führen, sind in den einzelnen Sektoren immer ein Zeichen dafür, daß in dem Bereich, der symbolisiert wird, ein erschwerter Weg vorgegeben ist. Sinnbildlich stehen sie für den anstrengenden Aufstieg auf einen Berg oder auch für das stetige „Auf und Ab" des Lebens.

Treppen, die **nach unten** führen, verwandeln nicht nur einen Teil des hereinfließenden Chi in einen großen Sha-Anteil, sie zeigen auch, daß es von jetzt an nur noch abwärts geht. Führt eine Treppe in einen Keller (nicht in ein Wohngeschoß), so wird diese Aussage relativiert, denn sie gilt nur für bewohnte Bereiche. Hier ist es sehr sinnvoll, oben an der Treppe eine Türe anzubringen, oder noch besser: den Haupteingang in den unteren Stock zu verlegen. Das Ausgangsniveau für diese Betrachtungen ist immer die Höhe der Eingangstüre.

Die Diagonale im Pa-Kua zeigt die Verknüpfungen der einzelnen Sektoren untereinander. Alle Sektoren stehen zueinander in Wechselwirkung. Nachfolgend erfahren Sie, welche Bereiche in besonderer Beziehung zueinander stehen:

1 (Karriere)	⇨	9 (Ruhm)
2 (Partnerschaft)	⇨	8 (Wissen)
3 (Familie)	⇨	7 (Kinder)
4 (Reichtum)	⇨	6 (Freunde)

Wenn beispielsweise Sektor 1 sehr schwach ist, können Sie den Fehlbereich in Sektor 9 mit zusätzlicher Aufmerksamkeit etwas reduzieren.

Das Fehlen eines gesamten Sektors oder eines großen Teiles davon signalisiert ein Manko in diesem Bereich. Genauso wie ein Maler an den Seiten eines Bildes mit ein paar Strichen andeutet, daß es eigentlich noch weiter geht, werden im Feng Shui die fehlenden Sektoren bildlich oder mit Gegenständen angedeutet. Die Bilder werden an diejenige Wand gehängt, hinter der sich der Sektor befinden würde. Gegenstände werden entweder an die entsprechende Wand gehängt oder davorgestellt.

Ein Fehlen von Sektoren können Sie mit Bildern oder Figuren wie folgt ausgleichen:

1. Karriere	Wasser	Bilder von Wasser, Wasserfällen, „fließende" Motive, Bilder, die das Gefühl von Weite und Freiheit vermitteln, Zimmer- und Zierbrunnen
2. Partnerschaft	Erde	Pflanzen, harmonische Formen und Farben, Partnerschafts-Symbole oder Dokumentationen (Ihre privaten Fotos zu zweit, Tierbilder und -figuren, die Pärchen darstellen. Häufig zu finden sind Delphin- und Vogelpaare)
3. Familie	Donner	Bilder der Eltern und der Vorfahren. Bäume sind das Symbol für das Wachsen der Familie. Daher eignen sich große Pflanzen, vorzugsweise mit Stamm, oder Bilder von Bäumen sehr gut.
4. Reichtum	Wind	Leere Behälter, Kristallschalen, Aquarien, Wasser und prunkvolle Gegenstände stehen für materiellen Reichtum. Bilder von Zufriedenheit und innerem Glück symbolisieren den inneren Reichtum.
5. Die Mitte		Fehlt die Mitte, sollten die Wände, die zum fehlenden Teil hinführen, hell beleuchtet werden. Ist ein Fenster vorhanden, sollte dieses immer sauber sein und mit Blumen und Pflanzen geschmückt werden.

6. Freunde	Himmel	Fotos und Geschenke, die an Freunde erinnern, sind ideal. Bilder mit viel Weite, Wolken und Himmel sind ebenfalls sehr passend. Stellvertretende für die Helfer aus der geistigen Welt bieten sich Bilder und Figuren von Schutzengeln und vom Buddha an.
7. Kinder	See	Hier dürfen Sie frei wählen und Ihre Träume, Ihre Hobbys und all das verwirklichen, was Sie gerne tun, was Ihnen Spaß macht.
8. Wissen	Berg	Wenn Ihnen dieser Raum fehlt und Sie gerne meditieren, sind leere Gefäße und „heilige Bilder" von Orten oder Personen empfehlenswert. Wenn Sie lernen oder studieren, empfiehlt sich ein gut gefülltes Bücherregal an der Wand.
9. Ruhm	Feuer	Ein großes Bild, das vorwiegend rot ist, kann die fehlende Verbindung herstellen. Transparente (durchsichtige) Gegenstände vor der Wand sind ebenso ideal. An dieser Wand *muß* allerdings alles in perfektem Zustand sein.

Wie im Großen, so im Kleinen
– und im ganz Großen

Es ist immer eine interessante und aufschlußreiche Angelegenheit, die eigene Wohnung nach der Pa-Kua-Aufteilung mit den 9 Sektoren zu analysieren. Da wir jedoch nicht alle Räume gleich oft und gleich intensiv nützen oder auch viele Stunden täglich am Arbeitsplatz verbringen, lohnt es sich auf alle Fälle, die am meisten genützten Bereiche etwas genauer unter die Lupe zu nehmen.

Anstatt die Schablone, wie vorher gezeigt, über die ganze Wohnung zu legen, können wir sie auch auf ein Zimmer, auf den Schreibtisch oder auf das ganze Grundstück übertragen. Der Eingangsbereich (untere Linie bei den Sektoren 8, 1 und 6) markiert entweder die Türe, den Eingang zum Grundstück oder den Sitzplatz am Pult. Falls der Raum mehr als eine Türe hat, gilt die häufiger genützte Türe. Bei spanischen Schlafzimmern (ein Badezimmer ist in das Schlafzimmer integriert) und bei amerikanischen Schlafzimmern (mit begehbarem Kleiderschrank) gehören auch diese Segmente zum Raum.

4	9	2
3	5	7
8	1	6

Zimmer oder Büro

Türe auf dieser Achse

Selbstverständlich können Sie das Pa-Kua auch nur auf den Schreibtisch bezogen anwenden. Die Grundlinie ist die Tischkante, vor der Sie jeweils sitzen.

4	9	2
3	5	7
8	1	6

Ihr Schreibtisch

Ihr Sitzplatz ist hier

Bei dieser Betrachtungsweise zeigt die Lage des Hauses auf dem Grundstück, unter welchen „Zeichen" es steht.

4	9	2
3	5	7
8	1	6

Grundstück
mit Haus
und Garten

Einfahrt oder Eingang zum Grundstück

Falls Sie eines Tages einem alten Feng-Shui-Meister begegnen sollten und er sich über dieses Pa-Kua-System ziemlich abfällig als eine „Hausfrauenmethode" äußert, so dürfen Sie ihm getrost Recht geben. Ich für meinen Teil finde dieses einfache System nicht nur sehr praktisch, sondern vor allem verständlich und auf jeden Fall sehr hilfreich.

Für mich drängt sich dabei immer der Vergleich mit unserer Hausapotheke oder unserer Hausmannskost auf. Kaum jemand von uns ist von Beruf Arzt oder Koch, und trotzdem können wir uns Tag für Tag gut ernähren oder uns bei kleineren Wunden oder Verletzungen so „verarzten", daß wir die Hilfe des Fachmanns nicht in Anspruch zu nehmen brauchen. Daß jedoch niemand von uns so verrückt wäre, einen Bekannten im Wohnzimmer zu operieren, sondern hier selbstverständlich das medizinisch geschulte Personal zu Rate ziehen würde, liegt für uns alle natürlich auf der Hand. Wir alle betreiben aus der Sicht der großen Meister „Amateur-Feng-Shui", denn die Jahre des Studiums fehlen uns nun einmal, und das geben wir auch alle gerne zu.

Das Pa-Kua der Geschäfte

In jedem Geschäft werden Waren angeliefert, Routine-Arbeiten erledigt, Strategien und Ideen entworfen, Werte „geschaffen" oder in Umlauf gebracht.

Die gleichen Trigramme, die wir vorhin unter dem Gesichtspunkt der Lebensbereiche betrachtet haben, bergen noch zahlreiche weitere Bedeutungen und Interpretationsmöglichkeiten. Die Trigramme stammen aus dem I Ging, dem Buch der Wandlungen, und genau diese Wandlungen (oder Arten der Veränderungen) sind für ein Geschäft von besonderem Interesse. Jedes Geschäft, ob es nun Handel, Dienstleistungen oder Forschung betreibt, hat räumliche Bereiche, in denen unterschiedliche Arbeiten verrichtet werden, in denen folglich auch verschiedene Qualitäten gefordert sind.

Die 8 Formen der Veränderung

Süden

4 Veränderung der Form	**9** Veränderung der Materie, der Rohstoffe	**2** natürliche Veränderung, Wachstum
3 räumliche Veränderung, Geschwindigkeit	**Mitte**	**7** Veränderung des geistigen Volumens
8 Unveränderlichkeit	**1** Veränderung der Richtung und Rotation	**6** schöpferische Veränderung

Osten (left of table) — **Westen** (right of table)

Norden

Die Ausrichtung erfolgt nach den Himmelsrichtungen, und die Lage der Eingangstüre ermöglicht eine Art „Blick in die Zukunft des geschäftlichen Werdegangs".

1 Wasser Veränderung der Richtung,
   (Kan)   Rotation

Von der Drehbank bis zum Fotokopierer, von der Wassermühle bis zum Bohrer, vom Geschirrspüler bis zur Waschmaschine: das „Ereignis" wird bei all diesen Formen des Arbeitens und der Aktivität immer durch das Rotieren an Ort und Stelle in Gang gesetzt. Tätigkeiten, die ein ständiges Wiederholen bedeuten, ohne daß sich Ware konkret bewegt – z. B. die Arbeit von Datentypisten und Telefonisten – finden hier einen idealen Arbeitsplatz.

2 Erde   Natürliche Veränderung,
(Kun)   Nähren

Vom Setzen eines Pflanzensamens bis zum Ernten der reifen Frucht, von der erholsamen Kaffeepause bis hin Essenseinnahme in der Mittagszeit: Alle „Ereignisse", die mit Wachstum und Ernährung zu tun haben, sind hier am besten aufgehoben. Auch der Ackerbau, die Fürsorge für sich selbst und andere Menschen sowie alle speziell weiblichen Bedürfnisse haben im Schoß der Erde ihren Wohnort.

3 Donner   Räumliche Veränderung,
(Chen)   Geschwindigkeit

Vom Posteingang bis zu den Fließbandarbeiten, vom Versand bis hin zum Transportwesen, dieser Bereich ist die „Straße der Güter", die auf der Durchreise sind. Sie verweilen nicht, sondern setzen sogleich den Weg fort, der ihre Bestimmung ist. Dieses Grundprinzip gilt ebenso für den Empfangsbereich für Kunden wie für das Telefax.

4 Wind   Veränderung der Form
(Sun)

Vom Zuschneiden eines Stoffes über sämtliche Erscheinungsformen der Konstruktion und des „Zusammenbauens" bis hin zum Einsortieren von losen Blättern in einen „gebundenen" Ordner: Dies alles sind „Ereignisse", die „nichts und doch alles" bewirken. Auch nach dem Zuschneiden bleibt der Stoff ein Stoff, und nach dem Einordnen bleiben Papierbögen Papierbögen, aber erst in der neuen Gestalt oder in der neuen Anordnung wird aus ihnen etwas Spezielles, etwas Neues und Eigenständiges.

6 Himmel   Schöpferische Veränderung,
(Chien)   Kreativität

Vom zündenden Funken einer Idee bis hin zum Auslösen des ersten Schrittes; vom Denken, Planen, Managen, Entwickeln von

Strategien bis hin zur Umsetzung: alle „Ereignisse", die Realitäten wachsen lassen, werden immer erst aus einem schöpferischen Impuls geboren.

7 See   Veränderung des geistigen   ▬▬ ▬▬
  (Tui) Volumens   ▬▬▬▬
                                     ▬▬▬▬

Von der Musikanlage, die für Entspannung des Personals und der Kunden zuständig ist, bis hin zum internen „Schwarzen Brett", das für die angenehmen Seiten des betrieblichen Alltags zuständig ist: Alle „Ereignisse", die erfreuen, gedeihen auf diesem Boden noch besser. Falls in einem Betrieb interne Aus- und Weiterbildungen durchgeführt werden, bietet sich dieser Bereich dafür ganz besonders an.

8 Berg Unveränderlichkeit ▬▬▬▬
  (Ken)   ▬▬ ▬▬
                            ▬▬ ▬▬

Ob beim Tresor oder einem solides Eingangstor: Hier sind „Ereignisse", die eine Veränderung bewirken, nicht erwünscht. Auch schnellverderbliche Lebensmittel scheuen die Veränderlichkeit, und manch ein Artikel, der im Lager aufbewahrt wird, sollte nicht zu stark der „Vergänglichkeit alles Irdischen" unterliegen. Auch Aktenarchive können sehr wertvoll sein und bevorzugen die Unveränderlichkeit – nicht zu vergessen die echten Wertgegenstände wie Schmuck und Gold.➔

9 Feuer Veränderung der Materie ▬▬▬▬
  (Li)   ▬▬ ▬▬
                                  ▬▬▬▬

Wenn aus Bohnen und Wasser plötzlich Kaffee wird und das „Ereignis" nicht mehr rückgängig gemacht werden kann, dann hat sich die Materie verändert. In allen Feueröfen, wo Schmelzen zum Alltag gehört, manifestiert sich dieses Grundprinzip ebenso wie in unseren alltäglichen Kochtöpfen auf dem Herd. Die chemischen Prozesse erzeugen ebenfalls „Ereignisse", die nicht mehr rückgängig gemacht werden können.

Die Wahl des Gebäudes

Bevor Sie damit beginnen, ein Geschäft einzurichten, müssen Sie erst Ihren Standort, Ihre Niederlassung wählen. Falls das bereits geschehen ist, überblättern Sie dieses Kapitel dennoch nicht, es kann Ihnen sehr viel Aufschluß darüber geben, warum in den vergangen Jahren bestimmte Prozesse langsam oder schnell, ruhig oder unruhig vonstatten gegangen sind.

Spielen wir an dieser Stelle eine fiktive Situation durch: Sie möchten beispielsweise eine Druckerei eröffnen und könnten frei wählen, welche der 9 Räume des Pa-Kua Sie mieten möchten. Hier bietet sich für die Druckmaschinen Sektor 1 an (Rotation), für die Lagerung des heiklen Papiers Sektor 8 (Unveränderlichkeit).

Süden

4 Veränderung der Form	9 Veränderung der Materie, der Rohstoffe	2 natürliche Veränderung, Wachstum
3 räumliche Veränderung, Geschwindigkeit	Mitte	7 Veränderung des geistigen Volumens
8 Unveränderlichkeit	1 Veränderung der Richtung und Rotation	6 schöpferische Veränderung

Osten (left) — Westen (right)

Norden

Nun war allerdings ein anderer Interessent schneller, und er hat für seinen Versandhandel Sektor 8 gemietet. Mit gewaltigem Kraftaufwand kann dieser Geschäftsmann zwar seinen Lebensunterhalt sichern, aber dadurch, daß er sich im Bereich der „Unveränderlichkeit" niedergelassen hat, wird sich ein wirklicher Aufschwung nicht einstellen. Entmutigt zieht er nach ein paar Jahren wieder aus. Ein Fitness-Center mietet sich ein und nimmt zusätzlich die Räume 3 und 4. Im Sektor 8 sollen die Gymnastik-Stunden stattfinden, im Sektor 4 sind die Garderoben geplant. Würde diese Planung Realität, könnte das Geschäft bald wieder schließen, denn wer geht schon gerne stundenlang ins Fitness-Center, wenn sich der Körper nicht verändert? Die umgekehrte Planung würde jedoch dazu führen, daß das Training in Sektor 4 eine Veränderung der Form (Körperform) begünstigt. Die Kleider und Wertsachen wären jedoch im Sektor 8 geschützt und sicher. Die Mitte würde einen idealen Eingang abgeben, denn die räumliche Veränderung lädt die Menschen auch dazu ein, hereinzukommen.

Sie selbst haben, wie von Anfang an vorgesehen, den Sektor 1 erhalten. Damit Sie über genügend Raum für Ihr Papierlager verfügen und kleine Büroarbeiten erledigen können, haben Sie zusätzlich Sektor 6 (schöpferische Veränderung) angemietet. Dies wird sich jedoch bald als „Stolper- oder als Meilenstein" erweisen, denn in ihrem Büro, wo Sie eigentlich Routinearbeiten erledigen wollten, entzündet sich nun ein ununterbrochenes Feuerwerk an Ideen und Konzepten. Nicht nur daß Sie ihre eigentlichen Arbeiten hier nicht erledigen werden, sie brüten auch stundenlang über Dinge nach, aus denen Sie geschäftlich keinen (oder noch keinen) Nutzen ziehen.

Entweder werden Sie Ihre Druckerei in eine Firma umfunktionieren, bei der von Konzeption bis Realisierung alles angeboten wird. In diesem Fall werden die Geschäfte sicherlich von Glück begleitet sein. Oder Sie haben sich mit Sektor 6 eine „ewige Traumfabrik" gemietet, die Ihnen nicht nur während der Arbeit die Zeit stiehlt, sondern auch zwischen Phantasie und Realität eine Kluft auftut, die Sie selber nicht mehr schließen können.

Innerhalb eines Raumes oder auf der gesamten gemieteten Fläche ist die Aufteilung nach dem Pa-Kua ein guter Indikator dafür, was Sie wo am besten planen und ausführen sollten. Nicht immer ist das schönste Büro auch das beste. Doch mit Hilfe von moderner Einrichtung, etwas Phantasie, gutem Geschmack (oder der Hilfe von Fachleuten) und Ihrem Wissen über Feng Shui können Sie jetzt garantiert schon Erstaunliches bewirken.

Wenn Sie so weit sind, daß Sie die Einrichtung aktiv planen und realisieren können, vergessen Sie bitte auch die Harmonie der 5 Tiere nicht.

Teil 5

Die 5 Elemente

Die 5 chinesischen Elemente

Die chinesischen Elemente sind ein zentraler Bestandteil für das Verständnis von Feng Shui. Es ist eine sehr komplexe und auf den ersten Blick etwas befremdende Welt, in die wir jetzt eintreten. Ich versuche nun, Ihnen anhand eines Beispieles das Grundprinzip verständlich zu erklären:
In der deutschen Grammatik haben wir drei Artikel: DER, DIE und DAS. Alle unsere Ausdrücke sind in diese drei Kategorien eingeteilt worden. Männlich: der Mann, der Rüde, der Stuhl, der Koffer, der Baum. Weiblich: die Frau, die Hündin, die Tasche, die Hose, die Türe. Sächlich: das Kind, das Tier, das Auto, das Bild, das Haus.

Zum Teil empfinden wir diese Einteilung als logisch, zum Teil auch als unverständlich oder willkürlich. Aber alles in allem funktioniert das System, und wir haben es in unser Leben und Denken integriert.
Stellen Sie sich nun vor, wir hätten in unserer Sprache nicht drei sondern fünf Artikel, und die wären nicht nach Geschlecht in männlich, weiblich und sächlich, sondern nach Eigenschaften wie Jahreszeiten, Himmelsrichtungen und Wetter unterteilt: Frühling, Osten und Wind – Sommer, Süden und Hitze – Mitte und Feuchtigkeit – Herbst, Westen und Trockenheit sowie Winter, Norden und Kälte. Genau dies haben die Chinesen getan. Als Oberbegriffe für diese, alle Erscheinungsformen des Universums umfassenden Kategorien wählten sie jedoch statt Jahreszeiten und Himmelsrichtungen etwas anderes: Elemente, Ur-„Materialien", aus denen die Welt erschaffen ist.
Am besten stelle ich Ihnen die 5 Elemente erst einmal kurz mit Namen vor:
Holz   Frühling, Osten und Wind
Feuer   Sommer, Süden und Hitze

145

Erde	Mitte und Feuchtigkeit,
	(Verbindung zwischen den Jahreszeiten)
Metall	Herbst, Westen und Trockenheit
Wasser	Winter, Norden und Kälte

Tatsächlich vereinigen die 5 chinesischen Elemente alles, was wir benennen können, gemäß den oben genannten Aspekten sowie deren weiteren Eigenschaften (Farben, Formen, Gefühle, Gerüche, zyklisches Verhalten etc.). Aber die Unterteilung geht noch weiter. So ist beispielsweise ein Mensch nicht einfach nur ein Mensch, sondern sein Geburtsdatum entspricht einem Element, das seine charakterliche Veranlagung widerspiegelt. Eine aus dem Geburtsdatum errechnete persönliche Zahl deutet darauf hin, wie er diese Veranlagung auslebt.

Ein Haus ist dementsprechend nicht einfach nur ein Haus, denn seine Form gibt ihm einen gewissen Charakter, der sich auf das Umfeld auswirkt und ebenfalls mit einem der 5 Elemente bezeichnet werden kann. Das Gleiche gilt für Landschaften, Berge, Pflanzen, Tiere und vieles mehr.

Ursprünglich wurde der Begriff *Elemente* anders übersetzt; man bezeichnete sie als die 5 Wandelzustände oder die 5 Wirkungen.

Die Verbindung (Zyklen) der 5 Elemente

Während bei Yin/Yang beide Teile zusammen ein Ganzes ergeben, wobei das eine nicht ohne das andere existieren kann, haben deren „Kinder", die 5 Elemente, einen sogenannten zyklischen Bezug zueinander. Sie können sich das entsprechend unseren Jahreszeiten vorstellen: Zuerst ist Frühling, dann ist Sommer, später Herbst und schließlich Winter. Das Eine gibt dem anderen die Hand, und ein harmonischer Kreislauf entsteht.

Doch leider ist im Leben nicht immer alles harmonisch, und auch dieser Zyklus wird im Feng Shui berücksichtigt. Überspringt beispielsweise eine Jahreszeit seine Ordnung, entsteht meistens ein Schaden für Mensch und Natur. Da sind die Kälteeinbrüche im Herbst, wenn die Ernten noch nicht eingebracht wurden und alles erfriert, oder allzu starke Sonnenstrahlen im Februar und März, so daß die ersten Blumen schon anfangen, zu sprießen, obwohl der Winter noch nicht zu Ende ist. Dann setzt der letzte Frost dem bunten Treiben ein jähes Ende. Die verregneten, kühlen Sommer, die wir leider alle kennen, sind ebenfalls ein Beispiel dafür. So sehnlichst hatten wir uns auf die sonnigen Tage gefreut (vorzugsweise am Wochenende), und nichts wurde daraus. Mit der Zeit schlägt das auch dem stärksten Optimisten aufs Gemüt.

Doch wieder zurück zu den Elementen und zu Yin/Yang. Ein ganz wesentlicher Punkt, der bei beiden Systemen gleich ist, wäre hier noch anzumerken: Das Prinzip der Unendlichkeit. Weder bei Yin und Yang noch bei den Elementen gibt es einen Anfang oder ein Ende. Das Symbol für Unendlichkeit ist entweder eine liegende 8 oder ein Kreis. Aus diesem Grunde liegt das Yin/Yang in einem Kreis und auch der Zyklus der Elemente wird in einem Kreis dargestellt

Der schöpferische Zyklus

Gemäß der Lehre von den 5 Elementen gibt es einen schöpferischen sowie einen zerstörerischen Zyklus. Obwohl es eigentlich weder einen Anfang noch ein Ende gibt, beginnt man die Auflistung traditionell mit Holz, da dieses Element den Frühling symbolisiert.

Beim schöpferischen Zyklus bringt das eine Element das andere hervor und hilft ihm, zu existieren und zu gedeihen.

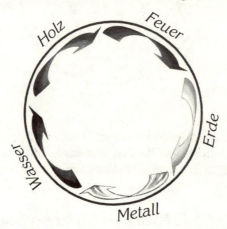

Holz brennt, damit das *Feuer* leben kann,
damit die Asche die *Erde* nährt, in welcher das *Metall*
entsteht, das geschmolzen wie *Wasser* fließt und dann
wiederum das *Holz* nähren kann, das dann brennt,
damit das Feuer etc.

Der zerstörerische Zyklus

Beim zerstörerischen Zyklus vernichtet das eine Element das andere, nimmt ihm seine Kraft und macht seine Eigenschaften zunichte.
 Wichtig ist hierbei zu beachten, daß der zerstörerische Zyklus nicht etwa im Gegenuhrzeigersinn des schöpferischen Zyklus verläuft, sondern daß dabei – genau wie im vorher gegebenen Beispiel mit den verfrüht eintretenden Jahreszeiten – jeweils ein Element übersprungen oder besser gesagt: übergangen wird. Übrigens hat auch der zerstörerische Zyklus seine guten Seiten, auch wenn der Name nicht gerade viel davon verspricht. (Ein Waldbrand wird beispielsweise mit Wasser gelöscht, das Feuer also durch Wasser „zerstört".) Mehr dazu allerdings später.

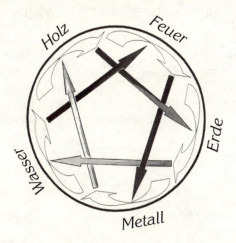

Holz entzieht beim Wachsen die Nährkraft aus der Erde.
Erde verschmutzt das Wasser. **Wasser** löscht das Feuer aus.
Feuer schmilzt das Metall. **Metall** zerschneidet das Holz.

Die 5 Elemente und Feng Shui

Feng Shui dient uns Menschen dazu, in Harmonie mit der Natur, unserem Umfeld, uns selbst und unseren Mitmenschen zu leben.
 Da dieses Umfeld auch Berge, Hügel, Landschaften und Häuser sein können, betreten wir nun absolutes Neuland. Unsere Art zu denken erhält somit ganz neue Impulse. War es nicht bislang so,

daß wir *in* unserem Haus lebten, nicht zusammen *mit* dem Haus? Jedenfalls bis zum heutigen Zeitpunkt.

Im Feng Shui betrachten wir die Situation von einer ganz anderen Seite. Wir leben *mit* dem Haus zusammen, die Umgebung lebt mit dem Haus zusammen und auch wir leben zusammen mit unserer Umgebung. Gemeinsam sind wir ein Team. Nun stellt sich die große Frage: Sind wir ein gutes oder ein schlechtes Team? (Bislang hatten wir doch völlig ignoriert, daß wir Teamkollegen haben.) Daß ein gutes Team mehr erreicht, mehr Spaß, mehr Power, mehr Freude und auch mehr Lebensqualität hat, ist allen klar. Daher lohnt es sich auch, sich die folgenden Seiten zu Gemüte zu führen und sich die Zeit zu nehmen, sein Team besser kennenzulernen. Schließlich möchten wir doch alle mehr über unser Team und vor allem die Kardinalsfrage wissen: Wer kann mit wem – und wie gut?

Doch weder Land noch Leute sind ja konstante Größen, die über Jahre hinweg gleich bleiben und so kann sich im Laufe der Zeit auch unser Team verändern. Baut nun beispielsweise die Stadt ganz in der Nähe einen Tunnel oder eine Überführung, wird auf dem freien Land nebenan ein Haus errichtet, streicht der Nachbar sein weißes Haus plötzlich in Altrosa an oder zieht eine weitere Person in die Wohnung ein, so sind dies alles Veränderungen, die mit in Betracht gezogen werden müssen. Und so wie sich das Umfeld verändert, verändern sich auch die Einflüsse, manchmal zum Guten, manchmal zum Schlechten. Sollte sich das Umfeld aber tatsächlich einmal zum Schlechten verändern, so ist das für die Bewohner, noch lange keine Tragödie. Wir alle haben die Möglichkeit, unsererseits wieder etwas zu verändern, so daß das Gesamtbild am Schluß für uns wieder stimmt. Wird eine Situation zum Besseren verändert, können wir davon nur profitieren.

Die kleine Meditation der 5 Elemente

Damit Sie sich die Reihenfolge der 5 Elemente besser merken können, haben der Verlag und ich zusammen eine Art „kleine Meditation der 5 Elemente" für Sie geschaffen. Versuchen Sie, die beschriebenen Bewegungen (siehe auch: Fotos) mit Ihren Armen möglichst fließend und in weichen Übergängen auszuführen und sich dabei das zum jeweiligen Stadium der Übung passende Element vorzustellen. Sie bekommen dadurch auch ein Gefühl für den zyklischen Verlauf der 5-Elemente-Lehre, denn an Übung 5 sollte sich Übung 1 nahtlos anfügen.

Die Arme und Hände sind ausgestreckt gegen den Himmel, wie die Äste eines Baumes (das Symbol für **Holz**),

um aufzusteigen und mit den Zeigefingerspitzen den Himmel zu berühren (**Feuer**),

um vor uns die Gaben der Welt in den offenen Händen zu halten (**Erde**),

und schließlich die Arme sinken zu lassen und zu öffnen, damit alles wieder herausfließen kann wie **Wasser**.

diese Gaben zu festigen und zu formen wie **Metall**,

150

Das Element Holz

*Die Natur von Holz ist, sich zu biegen
und sich wieder aufzurichten*

Das Lied der Bäume:
Mensch,
Ich bin die Wärme Deines Heims in kalten Winternächten,
der schirmende Schatten, wenn des Sommers Sonne brennt,
der Dachstuhl Deines Hauses, das Brett Deines Tisches.
Ich bin das Bett, in dem Du schläfst
und das Holz, aus dem Du deine Schiffe baust.
Ich bin der Stiel Deiner Haue, die Türe Deiner Hütte.
Ich bin das Holz Deiner Wiege und das Deines Sarges.
Ich bin das Brot der Güte, die Blume der Schönheit.
Erhöre mein Lied,– Zerstöre mich nicht.

Das optische Erscheinungsbild von Holz

Gebäudeform

Das Haus ist hoch und schlank, wie Wolkenkratzer und alle Holzhäuser (Holz = Holz)

Bergform

Die Berge ragen gerade in die Höhe und sind auf den Seiten fast senkrecht (bei uns recht selten)

Landschaft

Sie blicken direkt auf große Bäume oder Wald, Sie sehen nicht, was sich hinter den Bäumen befindet (Wald/ Bäume = Holz)

Stadt

Das Bild ist beherrscht von Hochhäusern und hohen, schlanken Gebäuden, oder die Häuser sind aus Holz gebaut

Sowie: Säulen, Pfeiler, Laternenmasten

Gebäude aus Holz, Holzhäuser

Fabrikkamine, Obelisken, Minarette

Die Persönlichkeit von Holz

Holz steht für Wachstum und Ausdehnung sowie für Kreativität

Symbol:	▯
Himmelsrichtung:	Osten
Jahreszeit:	Frühling
Farbe:	grün
Wetter:	Wind
Energiefluß:	Sternförmig nach außen
Energie:	schwaches Yang
Geschmack:	sauer
Geruch:	erdig
Charakter:	freundlich
Sinnesorgan/Sinn:	Augen/Sehen
Organe:	Leber, Galle
Gefühl:	Zorn

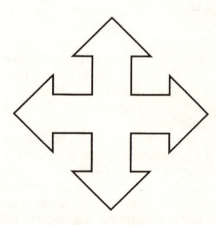

Energieform von Holz

Holz verkörpert Wachstum, im engeren wie im weiteren Sinne. Damit wir wachsen und stark werden können, brauchen wir Nahrung. Daher zählen die gesamte Gastronomie im Berufsleben und das Eßzimmer im Privatleben zum Element *Holz*. Im persönlichen Bereich wachsen wir durch unsere Kreativität und unsere Schöpferkraft, die uns hilft, uns zu entfalten, uns aufzurichten und zu einer eigenen Persönlichkeit zu finden. Daher zählen auch Kindergärten und Künstlerateliers zum Element *Holz*. Ebenso werden Krankenhäuser dem Element *Holz* zugeordnet, da es das Ziel einer solchen Einrichtung ist, daß sich der erkrankte Mensch wieder aufrichtet, d. h. gesund wird und sich neu entfalten kann, wie ein Bambus, der gebogen wurde und sich (ohne Schaden zu nehmen) wieder aufrichten kann. Das Schlafzimmer zählt ebenfalls zum Element *Holz*, weniger wegen der Kreativität, sondern weil dies üblicherweise der Ort ist, wo neues Leben geschaffen und damit das Wachstum der Menschheit gefördert wird.

Das Naheliegendste zum Schluß: Alle Berufe, die direkt mit Holz in Verbindung stehen, von der Verarbeitung bis hin zum Verkauf, werden selbstverständlich auch dem Element *Holz* zugeordnet. Dazu gehören ebenfalls Pflanzen, Gemüsesorten und Möbel (aus Holz).

Zusammenfassung

Im Inneren des Hauses: Eßzimmer, Kinderzimmer, Schlafzimmer
Berufe/Geschäfte: Entwicklungsbüros, Architektur
Gesamte Gastronomie, Kindergärten, Künstlerateliers, Krankenhäuser
Alle Berufe, die mit Holz zusammenhängen: Von der Holzverarbeitung bis zum Verkauf

Es stehen allerdings noch einige weitere Begriffe für *Holz*. Der Frühling ist der „Anfang des Jahres", hier beginnen die Pflanzen zu wachsen. Die Sonne geht am Morgen im Osten auf, das ist der Anfang des Tages. Die Energie ist aktiv, aber noch nicht feurig oder extrem stark, daher wird sie dem Yang zugeteilt, allerdings in abgeschwächter Form. Der Energiefluß verläuft sternförmig nach außen, was bedeutet, daß der Sog von *Holz,* der die Säfte aus der Erde zieht, in alle Himmelsrichtungen wirkt und alles erreicht, was sich in seinem Einzugsgebiet befindet. Die Farbe, die Wachstum, Kreativität und die Kraft, sich aufzurichten und auszudehnen verkörpert, ist grün.

Das Element Feuer

Die Natur von Feuer ist es, zu erhitzen und aufzusteigen

Spruch aus Qi Gong von Altmeister Wang Xiang Zahi:

> Du bis frei, du bist ein
> mächtiges Feuer. Was sich
> dir nähert, wird aufgenommen
> im Feuer. Was sich dem Feuer fern hält,
> wird nicht verbrennen. Du bist einfach
> das Feuer. Du stehst an Deinem Ort,
> und es genügt, zu brennen.

Das optische Erscheinungsbild von Feuer

Gebäudeform
Vorwiegend Kirchen und Tempel sowie hohe Form der Dächer, meist mit roten Ziegeln gebaut

Bergform
Berge, die wie Flammen steil und spitzig in den Himmel ragen

Landschaft
Spitzige, hohe Berge, die die Gegend, umrahmen, sich als Gesamtbild wie eine große rote Pyramide manifestieren

Stadt
Viele hohe, steile, spitze rote Dächer

Sowie: Zeltformen   Pyramiden   Vulkane

Die Persönlichkeit von Feuer

Feuer steht für Aufstreben, das höchste Ziel erreichen und die intellektuelle Entwicklung

Symbol:	△
Himmelsrichtung:	Süden
Jahreszeit:	Sommer
Farbe:	rot
Wetter:	Hitze
Energiefluß:	aufsteigend nach oben
Energie:	starkes Yang
Geschmack:	bitter
Geruch:	verbrannt
Charakter:	höflich
Sinnesorgan/Sinn:	Schmecken, Zunge
Organe:	Herz, Dünndarm, Blutgefäße
Gefühl:	Freude

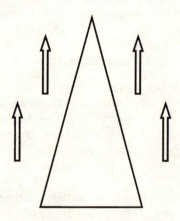

Energieform von Feuer

Feuer verkörpert das Aufstreben, die Suche nach Höherem und Größerem. Dazu gehört das geistige Streben, angefangen von der Schulbildung, der Entwicklung unseres Intellekts, über Bibliotheken bis hin zu „vergeistigten Orten" wie Kirchen und Tempel. Optisch zeigt sich das Element Feuer durch spitze Winkel und Kirchtürme sowie steile Dächer mit roten Ziegeln, wie sie in unseren Breitengraden überall zu sehen sind. *Feuer* verkörpert aber auch den Ehrgeiz und die damit verbundenen negativen Auswirkungen. Im Alltag steht die Küche für das Element *Feuer*, auch wenn in der heutigen Zeit die modernen Apparaturen die offenen Feuerstellen abgelöst haben. Das Element *Feuer* hat die Farbe rot, wie unser Blut, daher steht es auch für das gesamte menschliche und tierische Leben – im Gegensatz zu den Pflanzen, die das organische Leben verkörpern. Bereits die Alchimisten hatten bei ihren frühen Experimenten vorwiegend Feuer eingesetzt, um verschiedene Substanzen miteinander verbinden oder voneinander trennen zu können. Das Element *Feuer* beinhaltet somit auch die Gesamtheit der chemischen Prozesse. Auch Leder wird dem Element *Feuer* zugeordnet, da es einem „chemischen Prozeß" (Gerben) unterliegt und zum anderen ein tierisches Produkt ist. Alle Berufe und Tätigkeiten, die direkt mit Feuer verbunden oder davon abhängig sind, werden dem Feuer zugeordnet. Dazu gehören auch die Porzellan- und Tonwaren, da sie gebrannt werden. Schnellebige Geschäfte (mit „feurigem" Tempo) zählen ebenfalls zum Element Feuer, z. B. Handel, Mode oder saisonale abhängige, „trendige" Geschäfte.

Zusammenfassung

Im Inneren des Hauses: Küche/Heizung
Berufe/Geschäfte: Schulen und Bibliotheken
                                    Hochöfen/Schmelzöfen
                                    Viehhandlung (Schlachten)
                                    Porzellan/Tonwaren
                                    Lampen/Beleuchtung

Auf der vorangegangenen Seite stehen noch zahlreiche weitere Begriffe, die zu Feuer gehören. Der Sommer und die Hitze gehören genauso dazu wie die starke Yang-Energie, eine aktive, dominierende Kraft. Die Himmelsrichtung ist Süden, der Sonnenstand am Mittag. Der Energiefluß ist aufstrebend nach oben, zu höherem, zum Himmel. Die Farbe ist rot, wie das Feuer selbst oder das Blut, das durch unsere Adern fließt.

Das Element Erde

Die Natur der Erde ist die Fruchtbarkeit

Spruch aus dem Tao te King von Lao-tse:

Gebären und nähren, ohne besitzen zu wollen,
Handeln, ohne Ansprüche zu stellen,
wachsen lassen, ohne zu kontrollieren,
dies ist die ursprüngliche Tugend.

Das optische Erscheinungsbild von Erde

Gebäudeform
Die Gebäude sind rechteckig, mehr breit als hoch, horizontale Struktur und Form.

Bergform
Die Gegend ist flach, daher hat das Element Erde auch keinen Berg-Typ

Landschaft
Alles ist eben, alles flach, ideal für die Landwirtschaft

Stadt
Gerade Straßen ohne Steigung, Häuser mit flachen Dächern, die breiter als hoch sind (Rechteck)

Ferner: Plätze   *Garagen*   *Tunnels*

Ton und Beton werden dem Element Erde zugeordnet, daher haben alle Häuser, die ganz oder teilweise mit Ton oder Beton gebaut wurden, einen Bestandteil vom Element Erde.

Die Persönlichkeit von Erde

*Erde steht für Stabilität und Sicherheit,
Ausdauer und Verläßlichkeit*

Symbol: ▭
Himmelsrichtung: Mitte
Jahreszeit: Übergang zwischen den einzelnen Jahreszeiten
Farbe: gelb, braun, gold
Wetter: Feuchtigkeit
Energiefluß: um die eigene Achse drehend
Energie: ausgeglichen
Geschmack: süß
Geruch: duftend
Charakter: glaubwürdig
Sinnesorgane/Sinn: Muskeln, Mund, Tasten
Organe: Milz, Magen
Gefühl: Nachdenklichkeit, Besorgnis

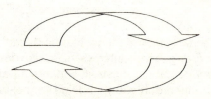

Energieform von Erde

Erde verkörpert die Stabilität, die Sicherheit und die Verläßlichkeit. Wenn wir bedenken, wieviel Geld jeder von uns für Versicherungen bezahlt, wird uns die Wichtigkeit dieses Elementes bewußt. Optisch erkennen wir das Element *Erde* durch seine „Bodenständigkeit", flache Landschaft, flache Plätze, flache Häuser, flache Dächer. Die Form ist immer rechteckig oder sogar ganz flach. Wo das Element Erde vorherrscht, passiert nicht viel Spektakuläres; es hat eher einen behütenden, bewahrenden Charakter, der bei negativer Übersteigerung bis zur Starre, Unbeweglichkeit und Inflexibilität gehen kann. In unseren Breitengraden finden wir sehr oft Häuser in rechteckiger Form (*Erde*), allerdings mit einem schrägen Dach aus roten Ziegeln (*Feuer*). *Feuer* und *Erde* sind im schöpferischen Zyklus miteinander verbunden, was als sehr glücksbringend gilt. Im Alltag wird das Element *Erde* den Garagen und den Vorratsräumen zugeordnet, im geschäftlichen Bereich den Lagerhallen und Lagerhäusern.

Zusammenfassung

Im Inneren des Hauses: Vorratsräume
Garagen
Berufe/Geschäfte: Bautätigkeit und Ingenieure
Tunnelbau und unterirdische Arbeiten
Landwirtschaft

Auf der vorangegangenen Seite stehen noch zahlreiche weitere Begriffe, die zur *Erde* gehören. Interessant ist, daß das Element Erde für keine bestimmte Jahreszeit steht, sondern für alle vier Verbindungen der einzelnen Jahreszeiten. Die Himmelsrichtung ist die Mitte, das Zentrum und die Energie ist ausgeglichen, weder Yin noch Yang bzw. von beiden gleich viel. Die Stabilität und Verläßlichkeit von Erde ist somit immer ein sicherer Rückhalt, wenn man sich einmal zu sehr in eine bestimmte Richtung hinausgewagt hat (zuviel Holz, zuviel Feuer, zuviel Metall oder zuviel Wasser). In der Mitte ist die Ruhe, aber auch das „Nicht-Geschehen".

Das Element Metall

Die Natur von Metall ist die Formbarkeit

Spruch aus dem Tao te King von Lao-tse:

Plötzlich innehalten ist besser als bis zum Rande zu füllen.
Schärfe die Klinge übermäßig,
und die Schneide wird bald stumpf.
Gold und Jade füllen die Halle,
wer kann sie sicher aufbewahren?
Ruhm und Reichtum machen stolz,
wer als man selbst ist zu tadeln?
Ziehe dich zurück, wenn die Leistung ist vollbracht.
Dies ist der Weg des Himmels.

Das optische Erscheinungsbild von Metall

Gebäudeform
Kuppeln, geschwungene Dächer, runde Formen und Gewölbe symbolisieren Metall

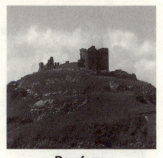

Bergform
Runde Form der Berggipfel, aber nicht so flach wie Plateaus

Landschaft
Runde Hügelformen, die leicht kugelig wirken, Metall-Abbaugebiete und Minen

Stadt
Oft große, überragende Monumente, Bahnhöfe, moderne Bürogebäude (mit Metall verschalt), Metall-Statuen

Ferner: Tanks   *Sternwarten*   *Riesenrad*
Ebenso gehören Waffen, Geld und sämtliche Metalle und Mineralien dazu.

Die Persönlichkeit von Metall

Metall steht für Verständnis und im weiteren für Geld und Waffen

Symbol: ◯
Himmelsrichtung: Westen
Jahreszeit: Herbst
Farbe: weiß
Wetter: Trockenheit
Energiefluß: sternförmig nach innen
Energie: schwaches Yin
Geschmack: scharf
Geruch: verrottet
Charakter: mutig
Sinnesorgane/Sinn: Nase, Riechen, Behaarung
Organe: Lunge, Dickdarm
Gefühl: Trauer

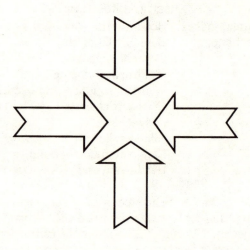

Energieform von Metall

Metall steht für Verständnis sowie für Geld und Waffen. Auf den ersten Blick scheint hier keine große Verbindung zu bestehen, aber im alten China (wie auch bei uns) wurde und wird so manche Verständigung und so manches Verständnis füreinander entweder via Geld geregelt oder, wenn es anscheinend nicht anders geht, mit Waffengewalt. Da das alles mit familiärer Idylle sehr wenig zu tun hat, sind auch Häuser in den Metallformen für den privaten Bereich nicht empfehlenswert. Für die alltägliche Nutzung steht das Element *Metall* für Werk- und Hobbyräume. Häuser, die *Metall* entsprechen, stehen für Macht, für Geschäft, für Geld und passend dazu für die Politik. Daher wird diese Form, sei es auch für noch so kleine Geschäfte, als die idealste Form für jeglichen Kommerz und Handel gewertet. Wer sein Geschäft nicht mit einer Kuppel neu bedachen kann, dem empfiehlt das Feng Shui, zumindest den Eingang bogenförmig zu gestalten oder die Hauswände weiß (Farbe des Elements Metall) zu streichen. Stahlbeton (Metall und Erde) harmoniert im schöpferischen Zyklus der Elemente, und diese Kombination bedeutet Wohlstand und Reichtum. Optisch erkennt man das Element Metall durch runde, kuppelförmige Bauten, Bögen sowie Krümmungen und Kurven. Eisenbahnlinien zählen ebenfalls dazu.

Zusammenfassung

Im Inneren des Hauses: Hobbyräume, Werkräume

Berufe/Geschäfte: Banken/Bahnhöfe

Geschäftshäuser

Elektronik-Industrie

Waffenproduktion und -Handel (Messer/Schwerte/Gewehre) keine Chemiewaffen

Alle Metall-Produktionsprozesse

Herstellung und Verkauf von Schmuck

Herstellung und Verkauf von Eisenwaren

Auf der vorangegangen Seite stehen noch zahlreiche weitere Begriffe, die zu *Metall* gehören: Die Jahreszeit ist Herbst (Ernte, auch im übertragenen, finanziellen Sinne) und die Himmelsrichtung ist Westen. Die Energie fließt sternförmig nach innen. (Auch hier fließt alles zu dem, der gesät hat, zurück – im Vergleich zu *Holz,* das Wachstum bedeutet und das die Energie sternförmig nach außen fließen läßt.)

Das Element Wasser

*Die Natur von Wasser ist es,
zu befeuchten und abzusteigen*

Spruch aus Qi-Gong vom Altmeister Wang Xiang Zhai:

*Du bist das Meer.
Was immer man Dir gibt, du wirst es nehmen.
Was immer man dir nimmt, du wirst es geben.
Das Meer ist unerschöpflich.
Es kann alles geben und bleibt doch das Meer.
Wie das Meer stehst du außer Zeit und Raum.
Das ist die wahre Freiheit.*

Das optische Erscheinungsbild von Wasser

Gebäudeform
Unregelmäßige Formen, keines der 4 anderen Elemente ist genau erkennbar

Bergform
Wellenförmige Bergformen, unregelmäßiges Bild

Landschaft
Geprägt von Wasser, wie Meer, Seen, Flüssen und Bächen; unregelm. Hügel

Stadt
Unregelmäßige Gebäude und asymmetrische Bauten

Ferner: Gebäude mit viel Glas, moderne Glaspaläste

Brunnen

Wenn Sie ein Gebäude betrachten und wegen seiner uneinheitlichen Bauweise das Gefühl haben, daß mindestens drei Architekten mit verschiedenen Geschmäckern daran „gebastelt" haben, so dürfen Sie dieses Haus getrost dem Element Wasser zuordnen.

Die Persönlichkeit von Wasser

Wasser steht für Kommunikation

Symbol:	⌐¬
Himmelsrichtung:	Norden
Jahreszeit:	Winter
Farbe:	schwarz, grau, hellblau
Wetter:	Kälte
Energiefluß:	absteigend nach unten
Energie:	starkes Yin
Geschmack:	sauer
Geruch:	ranzig
Charakter:	intelligent
Sinnesorgane/Sinn:	Ohren/Knochen/hören
Organe:	Nieren, Harnblase
Gefühl:	Angst

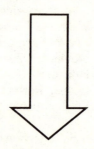

Energieform von Wasser

Wasser ist das Element der Kommunikation, der Künste, der Literatur, der Musik und der Übermittlung von Ideen. *Wasser* hat keine feste Form, daher steht es auch für Flexibilität und Reisen, für die Gabe, sich Neuem und Neuerungen schnell anzupassen. Glas wird ebenfalls dem *Wasser* zugeordnet. Gebäude, die dem Element *Wasser* angehören, optisch zu erkennen, ist gar nicht so leicht. Sie haben „keine und jede Form". Das kann entweder bedeuten, daß die Häuser asymmetrisch sind, daß sie alle 4 anderen Elemente zwar enthalten, aber keines davon klar dominiert, oder daß das Material Glas stark vorherrschend ist. Wenn Gebäude die Form von Wellen haben, werden sie ebenfalls dem Element *Wasser* zugeteilt. Die meisten Häuser, die im Element Wasser gebaut sind, dienen kommerziellen (Hotelanlagen, Geschäftshäuser) oder öffentlichen Zwecken (Kulturzentren). Die Erkennung der Umgebung ist dafür um so einfacher: Seen, Flüsse, Teiche, Bäche und das Meer sowie unregelmäßige, wellenförmige Hügel- und Berglandschaften.

Zusammenfassung

Im Inneren des Hauses:	Badezimmer, Toilette, Waschküche
	Arbeitszimmer, wenn Kreativität und Kommunikation gefragt sind
Berufe/Geschäfte:	Film, Fernsehen, Presse, Post, Medien
	Werbung, Computertechnologie
	Alle Berufsgruppen, die mit Flüssigkeit arbeiten: Brauereien, Destillationen, Öl-industrie
	Friseur, Reisebüros
	Fischindustrie

Auf der vorangegangenen Seite stehen noch zahlreiche weitere Begriffe, die zu Wasser gehören. Die Jahreszeit ist Winter, die Himmelsrichtung Norden und der Energiefluß nach unten absteigend. Die Farben von Wasser sind schwarz und grau (Farben des Himmels vor dem Regen) sowie hellblau (Farbe des Wassers im See oder Fluß).

Ihre Wohnlage und Ihr Wohnhaus

Versuchen Sie nun, anhand der vorangegangen Seiten Ihr eigenes Zuhause, das Haus, in dem Sie wohnen, einem der 5 Elemente zuzuordnen. Vermutlich werden Sie nun feststellen, daß dies gar nicht so einfach ist. Dazu noch ein wichtiger Hinweis: In den meisten Fällen können spontan etwa 2 Elemente erkannt werden, die gar nicht in Frage kommen. Aber es bleibt doch meistens eine Auswahl übrig. Doch ich kann Sie beruhigen: Im Feng Shui ist es wie überall: Es gibt die „Reinrassigen", und es gibt die „Mischlinge". Nehmen wir das Beispiel eines typischen Einfamilienhauses: Das Haus entspricht hauptsächlich dem Element *Erde* (mehr breit als hoch), ist jedoch mit einem Schrägdach versehen, das dem Element *Feuer* entspricht. Das ist eine sehr gute Verbindung, denn sie entspricht dem schöpferischen Zyklus.

Für die Betrachtung eignet sich zudem ein Foto oft besser als der Augenschein. Wir sind es nicht gewöhnt, Gebäude und Landschaften vor dem geistigen Auge in Rechtecke, Dreiecke etc. aufzuteilen; dies bedarf einer gewissen Übung. Wer viel fotografiert, hat hier einen beträchtlichen Vorteil.

Sie und Ihr Haus bilden ein Team, und das Element des Hauses ist Ihnen vermutlich nun bekannt. Anhand Ihres persönlichen Elementes kann nun festgestellt werden, wie gut sie beide zusammenpassen. Doch Ihr Haus ist nicht nur mit Ihnen eine Verbindung eingegangen, sondern auch mit seiner Umgebung. Da diese Verbindung auf Ihr persönliches Wohlbefinden einen nicht zu unterschätzenden Einfluß hat, werden wir uns vorerst noch mit der Nachbarschaft befassen.

In der Stadt und in Ortschaften besteht die unmittelbare Umgebung normalerweise aus Häusern, und zwar vorne, hinten, rechts und links. Auf dem Land kann es eher vorkommen, daß eine oder auch mehrere Seiten aus unverbauter Landschaft bestehen: Wälder, Felder, Seen oder Berge.

Genauso, wie Sie bereits Ihr Wohnhaus einem Element zugeordnet haben, werden wir nun die Nachbarschaft entsprechend den einzelnen Elementen analysieren. Wenn Sie allerdings in einem großen Mietshaus wohnen, leben meistens auch andere Menschen auf dem gleichen Stockwerk. Daher sind für die Analyse der Feng-Shui-Nachbarschaft nach den 5 Elementen nur jene Seiten relevant, an denen Ihre Wohnung Außenmauern hat.

So kann beispielsweise eine Wohnsituation, vereinfacht dargestellt, aussehen:

Um die Lage zu analysieren, gehen wir nun Seite für Seite Ihres Wohnhauses ab. Dabei bilden beispielsweise:

Unser Haus und der Nachbar 1 (rechts) eine Elementen-Kette.
Unser Haus hat Element Erde, unser Nachbar 1 ebenfalls. Eine Patt-Situation. Was das konkret bedeutet, können Sie im folgenden Kapitel für alle 25 möglichen Varianten nachlesen

Dann folgt: unser Haus und der Nachbar hinten.
Unser Haus hat Element Erde, unser Nachbar hinten Element Holz. Das ist nicht gut. Mehr Information dazu im folgenden Kapitel, wo alle 25 möglichen Varianten erklärt sind.

Anschließend: unser Haus und der Nachbar 2, links.
Unser Haus hat Element Erde, und nebenan ist ein kleiner See, Element Wasser. Auch das ist nicht gut. Mehr dazu, wie gehabt, in den 25 Varianten im folgenden Kapitel.

Und zum Schluß: Unser Haus und der Nachbar vorne.
Gleiche Situation wie Nachbar 1, rechts.

Fazit: Auf den ersten Blick nicht sehr positiv, aber für alles gibt es Lösungen, die hier für viele gute Veränderungen sorgen könnten.

Die 25 Grundvarianten der Elemente

Häuser, die dem Element Holz entsprechen

Ihr Haus: Element Holz/Umgebung Holz

Umgebung Holz: *Wald und Bäume, Hochhäuser, Holzhäuser, hohe schlanke Gebäude, Berge, die rechts und links fast senkrecht abfallen, Säulen und Gebäude mit sehr viel Säulen, Fabrikkamine, Laternenmasten, Obelisken, Minarette, Brücken- u. Autobahnpfeiler.*

Holz mit *Holz* ist sehr stabil. Genauso wie Bäume im Wald nebeneinander groß, gar riesig werden können, steht ein Haus, das dem Element *Holz* entspricht, in einer solchen Umgebung sicher und stabil, und langsames, stetiges Wachstum ist garantiert. Ein Haus, das dem Element *Holz* entspricht, wird immer als ideal für Familien bzw. Familiengründung angesehen. Gewerblich ist eine solche Konstellation vor allem für Gartenbau ideal. Kindergärten und Heime profitieren von der Stabilität, was einem sehr harmonischen, stetigem Wachstum in der Entwicklung der Schutzbefohlenen zu Gute kommt.

Ihr Haus: Element Holz/Umgebung Feuer

Umgebung Feuer: *Spitzige Berge und Bergketten, hohe, steile Dächer, Dächer mit spitzigen Winkeln, Kirchtürme, Pyramiden, Vulkane, Indianerzelte.*

Holz nährt das *Feuer*. In dieser Situation nährt das Haus die Umgebung. Da Feuer, wenn es brennt, immer für Hitze sorgt, kann es in einer solchen Konstellation schon mal „hitzig" zugehen. Feng-Shui-Experten sehen in dieser Zusammenstellung eine große Gefahrenquelle für Aufruhr und Unfrieden sowie das erhöhte Risiko von Bränden. Da das Haus der gebende Teil ist, wird man hier auch nicht zu Reichtum kommen, was zusammen mit der Umgebung *Feuer* auch zu Neid und Mißgunst führen kann. Falls Sie jedoch Besitzer eines solchen Hauses oder „gebundener" Mieter sind, haben Sie folgende Möglichkeit:

Das Element *Wasser* löscht das *Feuer* aus, daher wäre ein Gartenteich eine große Hilfe. Innerhalb der Wohnung kann ein Wasserbehälter die Situation erheblich verbessern.

Ihr Haus: Element Holz/Umgebung Erde

Umgebung Erde: Flache Felder, gerade, ebene Flächen, Wohnblocks – mehr breit als hoch, flache Bauten, Flachdachgebäude, gerade Straßen ohne Steigung, Garagen, Tunnels, Plätze. Ton- und Betonbauten beinhalten zumindest einen Bestandteil vom Element Erde.

Holz entzieht beim Wachsen der *Erde* die Nährkraft. In den ersten Jahren nährt die *Erde* das *Holz*, was für die Bewohner ein äußerst günstiger Umstand ist. Mit der Zeit ist allerdings der Boden leer, ausgelaugt und kann daher auch nichts mehr geben. Ab diesem Moment wird die Situation sehr ungünstig.

Die Asche aus dem *Feuer* würde die *Erde* nähren und so das Gleichgewicht wiederherstellen (*Feuer* verbindet *Holz* und *Erde* im schöpferischen Zyklus).

Um das Element *Feuer* (Farbe rot) einzuführen, haben Sie diverse Möglichkeiten: Sie können viele rote Blumen im Garten pflanzen oder rote Ziergegenstände aufstellen und, falls möglich, das Flachdach durch ein rotes, schräges Ziegeldach ersetzen. Im Inneren des Hauses können Sie ebenfalls mit roten Zierartikeln, z. B. roten Kerzen das Element *Feuer* einführen.

Ihr Haus: Element Holz/Umgebung Metall

Umgebung Metall: Runde Hügelformen, die leicht kugelig wirken, Metall-Abbaugebiete, Kuppeldächer, gewölbte und runde Formen an Bauwerken – oft monumentale Gebäude, Metall-Statuen, große Industrie-Tanks, Sternwarten, Riesenräder.

Metall zerschneidet *Holz*. Die Umgebung hat einen negativen Einfluß auf Ihr Wohnhaus und Ihre Wohnsituation. Nach Feng Shui ist hier eine erhöhte Unfallgefahr gegeben. Da *Metall* auch Geld und Reichtum verkörpert, bedeutet das in dieser Konstellation, daß die Umgebung finanziell erfolgreich ist, aber Sie selbst davon ausgeschlossen sind. Ihre gesamte Umgebung ist erfolgreich, nur Sie nicht. Und diese Tatsache schlägt auch dem sonnigsten Optimisten eines Tages aufs Gemüt.

Falls Sie nun in einem Haus leben oder arbeiten, das diese Kombination aufweist, können Sie den schöpferischen Zyklus wieder herstellen, in dem Sie das Element *Wasser* einführen. Für ein Geschäftshaus wäre die Investition eines Springbrunnens oder Zierbrunnens auf jeden Fall lohnenswert, als privater Mieter könnte ein Zimmerbrunnen oder eine Glasvase mit viel frischem Wasser und hellblauen Blumen Abhilfe schaffen. (Die Farben vom Element *Wasser* sind schwarz, grau und hellblau)

Ihr Haus: Element Holz/Umgebung Wasser

Umgebung Wasser: *Seen, Flüsse, Bäche, Teiche, Meer, unregelmäßige Hügel- und Bergketten, unregelmäßige Bauwerke und Bauten – oft in Wellenform, Bauten, die alle Elemente zu verkörpern scheinen, wobei aber keines richtig klar sichtbar ist, Glasfronten bei modernen Bürogebäuden, Wintergärten, wenn sie vorwiegend aus Glas sind.*

Wasser nährt *Holz*, welches Wachstum und Kreativität verkörpert. Die Umgebung steht Ihnen zu Ihrer vollster Unterstützung bereit. Ob privat oder beruflich, die Situation ist ideal. Da wir sehr oft spüren, wenn uns etwas gut tut, ist es nicht verwunderlich, daß fast alle Bootsstege und Uferanlagen an Seen und Flüssen aus Holz gebaut sind.

Häuser, die dem Element Feuer entsprechen

Ihr Haus: Element Feuer/Umgebung Holz

Umgebung Holz: *Wald und Bäume, Hochhäuser, Holzhäuser, hohe schlanke Gebäude, Berge, die rechts und links fast senkrecht abfallen, Säulen und Gebäude mit sehr vielen Säulen, Fabrikkamine, Laternenmasten, Obelisken, Minarette, Brücken- u. Autobahnpfeiler.*

Das *Feuer* ernährt sich von *Holz*, was eine ideale Grundvoraussetzung ist. Sie profitieren als Bewohner dieses Hauses im vollen Umfang von Ihrer Umgebung, unabhängig davon, ob es sich um private oder geschäftliche Zwecke handelt. Da *Feuer* den Intellekt und die geistige Entwicklung verkörpert, werden den Bewohnern auch erhöhte intellektuelle Fähigkeiten zugeschrieben. Für Schulen und Bildungsstätten, die gesamte chemische Industrie und alles, was mit tierischem Leben zu tun hat, ist diese Kombination äußerst passend.

Ihr Haus: Element Feuer/Umgebung Feuer

Umgebung Feuer: *Spitzige Berge und Bergketten, hohe, steile Dächer, Dächer mit spitzigen Winkeln, Kirchtürme, Pyramiden, Vulkane, Indianerzelte.*

Feuer schadet zwar dem *Feuer* nicht, es verbindet sich auf ganz natürliche Weise, aber es kann nur so lange brennen, wie es Substanz hat. Solange das *Feuer* brennt, ist die Situation stabil, dies aber sicherlich nicht auf Dauer der Idealzustand für eine Wohnung. *Feuer* steht auch für Streben nach Höherem und Ehrgeiz, so daß hier eine innere Unruhe „nach mehr" entstehen kann, die jedoch nirgends eine nährende Basis findet.

Geschäftlich ist eine solche Situation nur dann ideal, wenn eine Branche sehr kurzlebig ist, wie beispielsweise Trendmode, wo alle 3 bis 4 Monate ein völlig neues Sortiment in den Laden kommt.

Ihr Haus: Element Feuer/Umgebung Erde

Umgebung Erde: *Flache Felder, gerade, ebene Flächen, Wohnblocks – mehr breit als hoch, flache Bauten, Flachdachgebäude, gerade Straßen ohne Steigung, Garagen, Tunnels, Plätze. Ton- und Betonbauten beinhalten zumindest einen Bestandteil vom Element Erde.*

Feuer nährt die *Erde*, was ein harmonisches Bild ergibt. Allerdings ist Ihr Haus der gebende, und die Umgebung der nehmende Teil. Wenn der Spruch „Geben ist seliger als Nehmen" für Sie mehr als nur eine leere Phrase ist, dann entspricht diese Konstellation genau ihrer Veranlagung. Wohlstand können sie hier nicht im Form von Geld, sondern auf einer ganz anderen Ebene, in Form von Ehre erreichen. Ideal ist eine solche Konstellation für Krankenhäuser, Schulen und selbstverständlich auch Kirchen. Gebäude mit dieser Konstellation dienen dem Wohl der Gemeinschaft, aber nicht dem materiellem Wohl des Bewohners.

Falls Sie nun ein solches Haus besitzen und es für sich, privat oder geschäftlich, nützen möchten können Sie hier folgendes tun: Das Element *Holz* nährt Ihr Haus, das dem *Feuer* entspricht. Ein Gartenzaun aus Holz, vielleicht ein bißchen kräftiger als üblich, könnte sicherlich helfen. Ebenfalls sind Bäume und große Sträucher oder ein Gerätehäuschen aus Holz ideal. Hier spielt allerdings der Standort eine große Rolle. Beachten Sie dazu bitte die beiden Kapitel: „Die 5 Tiere" und „Sha".

Ihr Haus: Element Feuer/Umgebung Metall

Umgebung Metall: *Runde Hügelformen, die leicht kugelig wirken, Metall-Abbaugebiete, Kuppeldächer, gewölbte und runde Formen an Bauwerken – oft monumentale Gebäude, Metall-Statuen, große Industrie-Tanks, Sternwarten, Riesenräder.*

Feuer bezwingt *Metall* und ist bei einem Zweikampf immer der Sieger. *Metall* symbolisiert in seinem Charakter unter anderem auch Geld. Daraus geht bereits hervor, daß bei dieser Konstellation eine Art „Macht über Geld" entsteht. Es ist die einzige Konstellation, die *Metall* bezwingen kann. Wenn Sie also in einem solchen Haus arbeiten oder leben, ist finanzieller Erfolg fast automatisch gegeben. Da finanzieller Erfolg meistens mit öffentlichem, gesellschaftlichem Ansehen verbunden ist, ist dies eine sehr passende Kombination für Menschen, die politische oder gesellschaftliche Erfolge anstre-

177

ben. Allerdings lebt das *Feuer* auf Kosten des *Metalls*, was beim Menschen längerfristig eine gewisse Skrupellosigkeit und Abgebrühtheit als negativen Nebeneffekt bewirkt. Ebenso besteht die große Gefahr, daß die Nachbarschaft „spürt", daß auf ihre Kosten profitiert wird. Daß daraus eine nachbarschaftliche Disharmonie entstehen kann, versteht sich von selbst.

Für private Wohnzwecke ist diese Kombination nicht sehr empfehlenswert, denn das ganze familiäre Leben dreht sich nur noch um Geld, Erfolg und Prestige, und Werte wie Liebe, Familie und gemeinsames Wachsen werden zweit- und drittrangig.

Wenn Sie nun in einem solchen Haus wohnen oder arbeiten, werden Sie sicherlich bald auch genügend finanzielle Mittel besitzen, um sich irgendwo entweder eine Zweitwohnung oder ein Ferienhäuschen, das dem Element *Holz* entspricht, mieten zu können. Das „seelische Gleichgewicht", das Sie sich hierdurch schaffen, wird zwar wieder einiges kosten, aber das ist es auf längere Dauer sicherlich wert.

Ihr Haus: Element Feuer/Umgebung Wasser

Umgebung Wasser: *Seen, Flüsse, Bäche, Teiche, Meer, unregelmäßige Hügel- und Bergketten, unregelmäßige Bauwerke und Bauten – oft in Wellenform, Bauten, die alle Elemente zu verkörpern scheinen, wobei aber keines richtig klar sichtbar ist, Glasfronten bei modernen Bürogebäuden, Wintergärten, wenn sie vorwiegend aus Glas sind.*

Feuer wird vom *Wasser* ausgelöscht. Diese Grundlage verspricht gar nichts Gutes. Eine solche Kombination hat weder für den privaten noch für den kommerziellen oder gewerblichen Bereich irgend eine gute Seite. Sind Sie aber bereits Eigentümer oder „gebundener" Mieter eines solchen Gebäudes, können Sie folgende Möglichkeiten in Betracht ziehen:

Mit dem Element *Erde* können Sie Ihre Umgebung *Wasser* schwächen, da die *Erde* das *Wasser* verschmutzt, ihm also die Kraft nimmt. Beispielsweise mit Steinplastiken, großen Gipsfiguren und Steinmäuerchen im Garten. Sie können auch Tontöpfe auf die Fensterbänke stellen. Die Farben des Elementes *Erde* sind gelb, okker und braun. Sehr oft können diese Farbtöne als Verzierungen an der Hausfassade oder im Garten gut und geschmackvoll integriert werden.

Mit dem Element *Holz* können Sie Ihr Haus stärken, da *Holz* das *Feuer* nährt. Die einfachste Möglichkeit ist, einen oder gleich mehrere Bäume zu pflanzen; damit wird nämlich die nähere Umgebung dem Element *Holz* zugeordnet, und erst die entferntere Umgebung dem Element *Wasser.* Wichtig ist hierbei allerdings der Standort. Bitte beachten Sie die Kapitel „Die 5 Tiere" und „Sha". Ebenfalls hilfreich sind alle anderen Arten von Grün-Pflanzen, auf dem Balkon oder auf der Fensterbank.

Häuser, die dem Element Erde entsprechen

Ihr Haus: Element Erde/Umgebung Holz

Umgebung Holz: *Wald und Bäume, Hochhäuser, Holzhäuser, hohe schlanke Gebäude, Berge, die rechts und links fast senkrecht abfallen, Säulen, Gebäude mit sehr vielen Säulen, Fabrikkamine, Laternenmasten, Obelisken, Minarette, Brücken- und Autobahnpfeiler.*

Holz zerstört *Erde*. Obwohl es lange dauert, bis das *Holz* die Nährkraft aus der *Erde* entzogen hat, irgendwann ist der Boden leer, wenn nicht zwischendurch wieder „gedüngt" wird. Auf die Wohnsituation bezogen bedeutet dies, daß Ihr Haus der gebende und die Umgebung der nehmende Teil ist. Es ist, als ob jemand einen gut gefüllten Vorratsraum hätte (Sicherheit und Stabilität von *Erde*); allerdings nimmt immer wieder jemand etwas für den täglichen Bedarf weg (*Holz* = Wachstum), und eines Tages ist der Vorratsraum leer. Privat oder beruflich ist eine solche Situation natürlich nur günstig, solange sich noch Vorräte im Raum befinden. Bei einer langfristigen Planung sollte hier das regulierende Element *Feuer* eingeführt werden, das den schöpferischen Zyklus wieder schließt.

Rote Blumen und Skulpturen im Garten oder auf dem Balkon sind bereits eine große Hilfe. Außenkamine und Gartengrills verkörpern *Feuer* sehr direkt, allerdings auch nur dann, wenn sie regelmäßig gebraucht werden.

Ihr Haus: Element Erde/Umgebung Feuer

Umgebung Feuer: *Spitzige Berge und Bergketten, hohe, steile Dächer, Dächer mit spitzigen Winkeln, Kirchtürme, Pyramiden, Vulkane, Indianerzelte.*

Die Asche aus dem *Feuer* nährt die *Erde*. Der schöpferische Zyklus wirkt zu Gunsten der Bewohner. *Feuer* steht für Intelligenz, *Erde* für Stabilität und Sicherheit. Die Verbindung davon ist ein überlegtes, sicheres Handeln, das für Beständigkeit und Ausgeglichenheit sorgt. Unabhängig davon, ob es sich um den privaten oder geschäftlichen Bereich handelt, die Situation ist ausgezeichnet für eine solide, langfristige Existenz mit einer guten Portion Sicherheit und Stabilität. Da allerdings das Nähren der Erde ein langsamer Prozeß ist, werden Menschen mit ungebremstem Tatendrang und überschäumender Aktivität hier entweder ihre Energie etwas zügeln müssen oder sich einen aktiveren Schauplatz suchen. Junge Unternehmer voller Ideen werden trotz der positiven Feng-Shui-Situation hier nicht auf ihre Kosten kommen, weil ihnen die Entwicklung zu langsam geht.

Ihr Haus: Element Erde/Umgebung Erde

Umgebung Erde: *Flache Felder, gerade ebene Flächen, Wohnblocks – mehr breit als hoch, flache Bauten, Flachdachgebäude, gerade Straße ohne Steigung, Garagen, Tunnels, Plätze. Ton- und Betonbauten beinhalten zumindest einen Bestandteil vom Element Erde.*

Wenn *Erde* zu *Erde* kommt, passiert nichts Neues. Das Grundprinzip von *Erde*, Stabilität und Sicherheit, Ausdauer und Verläßlichkeit wird noch verstärkt, man könnte auch sagen: verdoppelt. Wer in einer solchen Umgebung ein Geschäft betreibt, auf den ist 200%ig Verlaß, und mit Fleiß und unendlicher Geduld und Ausdauer wird dieser Mensch versuchen, auch die unmöglichsten Wünsche der Kunden Realität werden zu lassen. Von dieser Ausdauer profitieren vor allem Routinegeschäfte und Fließbandarbeiten, Tätigkeiten, die in anderen Konstellationen ziemlich problematisch sein können. Als privates Wohnhaus ist es ideal für Menschen, die in erster Linie Sicherheit und nicht unbedingt Abwechslung wünschen. Dabei kann es sich gut um ältere Menschen handeln, die sich von der Hektik des Alltags zurückgezogen haben oder auch um Anstalten und Gefängnisse, die alles, nur keine Aufregung brauchen können. Auch Wohnsiedlungen können von dieser Konstellation profitieren, wenn man bedenkt, wieviel Energie ein paar hundert Menschen zusammen haben können, ist eine stabile und passive Wohnsituation gar nicht die schlechteste Lösung.

Ihr Haus: Element Erde/Umgebung Metall

Umgebung Metall: *Runde Hügelformen, die leicht kugelig wirken, Metall-Abbaugebiete, Kuppeldächer, gewölbte und runde Formen an Bauwerken – oft monumentale Gebäude, Metall-Statuen, große Industrie-Tanks, Sternwarten, Riesenräder.*

Erde und *Metall* befinden sich in harmonischer Reihenfolge, allerdings ist hier das Haus der gebende, und die Umgebung der nehmende Teil. Somit ist hier eine Art „sozialer Charakter" gegeben, das Haus gibt dem Umfeld etwas ab. *Erde* bedeutet Sicherheit und Stabilität, die Umwelt steht im Zeichen von *Metall*, stellvertretend für Geld, Waffen und Verständnis. Diese Konstellation ist ideal als stabile Ausgangslage für Polizei- und Militärschulen, die berufsmäßig mit Waffen zu tun haben, und natürlich auch für Business- und Manager-Schulen, deren „Arbeitsmittel" das Geld ist. Nicht zuletzt kann auch die gesamte Metallbe- und -verarbeitende Branche, vom Bergbau bis zur Schmuckindustrie, von einem solchen Ausbildungs-Standort profitieren. Im privaten Bereich ist diese Situation sehr harmonisch, allerdings mit der kleinen Einschränkung, daß Ihr persönliches *Metall* (Ersparnisse) ebenfalls dem schöpferischen Zyklus unterliegt und entsprechend dem Element *Erde*, in dem Sie wohnen, „in den Boden versickert".

Ihr Haus: Element Erde/Umgebung Wasser

Umgebung Wasser: Seen, Flüsse, Bäche, Teiche, Meer, unregelmäßige Hügel- und Bergketten, unregelmäßige Bauwerke und Bauten – oft in Wellenform, Bauten, die alle Elemente zu verkörpern scheinen, wobei aber keines richtig klar sichtbar ist, Glasfronten bei modernen Bürogebäuden, Wintergärten, wenn sie vorwiegend aus Glas sind.

Erde verschmutzt *Wasser*. Das Feng Shui hat für diese Kombination nicht viele lobende Worte bereit. *Wasser* steht unter anderem für Kommunikation. Sie profitieren zwar davon und bezwingen Ihre Umgebung, aber dafür dürfen Sie keinen Applaus von Ihrer Umwelt und Ihren Nachbarn erwarten, denn bei dieser Konstellation wird die fruchtbare Kommunikation, das „Seid-nett-zueinander" empfindlich gestört. Auch wenn die Nachbarn nicht wissen, was genau sie stört, reagieren sie relativ schnell mit negativen Reaktionen. Selbst, wenn Ihnen hier in materieller Sicht ein Erfolg ziemlich sicher ist und auch Karriereschritte und ähnliche positive Veränderungen erfolgen: die Tatsache, daß Sie ganz allein und isoliert in der Gegend sind, bringt ihnen nicht viel Freude im menschlichen Bereich.

Das Element *Metall* schließt den schöpferischen Zyklus. Eine schöne Metallstatue, schmiedeeiserne Tore oder auch der Anstrich der Hausfassade in der Farbe von *Metall* (weiß) könnten hier viel Harmonie bringen.

Häuser, die dem Element Metall entsprechen

Ihr Haus: Element Metall/Umgebung Holz
Umgebung Holz: *Wald und Bäume, Hochhäuser, Holzhäuser, hohe schlanke Gebäude, Berge, die rechts und links fast senkrecht abfallen, Säulen und Gebäude mit sehr vielen Säulen, Fabrikkamine, Laternenmasten, Obelisken, Minarette, Brücken- und Autobahnpfeiler.*

Metall zerschneidet *Holz*. Oder mit anderen Worten formuliert: *Metall* lebt seine Stärke an *Holz* aus. Dies ist wieder eine der Konstellationen, an denen Feng Shui kaum ein gutes Haar läßt. *Metall* steht für Waffen und Geld und *Holz* für Wachstum. Folglich zerstören hier entweder Waffen oder der Einfluß von Geld das Wachstum der Nachbarn und der Mitmenschen. Häuser, die gewerblich genutzt werden und die dem Element *Metall* entsprechen, sind entweder „Wellblechbaracken" oder monumentale Gebäude mit Kuppeln. Ein „Gemischtwarenladen" in einer Wellblechbaracke, in einem Waldstück oder einem Dorf gelegen, wo vorwiegend Holzhäuser stehen, kann ein gut gehendes Geschäft werden, aber der Geschäftsinhaber wird vermutlich sehr schnell „etwas *zu* geschäftstüchtig" werden. In den großen, monumentalen Gebäuden mit Kuppeln sind sehr oft Banken, politische Organisationen und Versicherungen zu finden. Und hier ist es ganz wichtig, daß gerade diese Machtgruppen nicht ihre besten Melkkühe schlachten (die normalen Bürger, Sparer, Zahler) und sich zu modernen Tyrannen entwickeln. Feng Shui empfiehlt sogenannte „Säulengärten", aber unsere Architekten haben das auch schon intuitiv erfaßt, denn an vielen monumentalen Gebäuden befinden sich zahlreiche Säulen. Ein Teich oder ein Springbrunnen (Element *Wasser*) würde den schöpferischen Zyklus wiederherstellen und damit das bedrohende Gefühl auflösen. Für private Zwecke werden Häuser, die *Metall* entsprechen, kaum genützt.

Ihr Haus: Element Metall/Umgebung Feuer

Umgebung Feuer: *Spitzige Berge und Bergketten, hohe steile Dächer, Dächer mit spitzigen Winkeln, Kirchtürme, Vulkane, Indianerzelte.*

Feuer schmilzt *Metall,* und *Metall* steht für Geld. Da Gebäude, die dem Element *Metall* entsprechen, fast immer gewerblich genutzt werden, stehen hier alle Weichen auf finanziellen Mißerfolg bis hin zum Konkurs. Da kein normaler Mensch eine Firma aufbaut, um sie zum Ruin zu bringen, sollte diese Konstellation gar nicht erst geplant oder gebaut werden. Wenn Sie nun trotzdem ein Haus besitzen, das diesen Merkmalen entspricht, können Sie den schöpferischen Zyklus wieder schließen, indem Sie das Element *Erde* einführen. Steinmauern im Garten und Ziergegenstände aus Ton repräsentieren das Element *Erde*, dessen Farben gelb, ocker und braun sind. Verzierungen an den Hauswänden und das Streichen der Fassade in diesen Farbtönen wird auf jeden Fall die gewünschte Harmonie bringen.

Ihr Haus: Element Metall/Umgebung Erde

Umgebung Erde: *Flache Felder, gerade, ebene Flächen, Wohnblocks – mehr breit als hoch, flache Bauten, Flachdachgebäude, gerade Straßen ohne Steigung, Garagen, Tunnels, Plätze. Ton- und Betonbauten beinhalten zumindest einen Bestandteil vom Element Erde.*

Erde erzeugt *Metall.* Die Umgebung nährt das Haus, und das Haus steht im Zeichen des *Metalls*, welches Geld symbolisiert. Hier wird, überspitzt gesagt, „Geld gemacht". Es gibt vermutlich kaum ein Unternehmen, das diese Grundsituation nicht als genial oder perfekt einstufen würde. Doch Geld und Erfolg bedeuten auch: mehr Arbeit, mehr Verantwortung, mehr Mitarbeiter, mehr Zeit und Aufwand für das Geschäft. So hat auch hier die beste geschäftliche Ausgangslage ihren kleinen Pferdefuß, und wer nicht bereit ist, den entsprechenden Preis dafür zu zahlen, ist mit einer „weniger spektakulären Lösung" viel besser bedient. Auch hier muß man sich vorher überlegen, was man wirklich will, denn der Erfolg dieser Konstellation ist garantiert.

Ihr Haus: Element Metall/Umgebung Metall

Umgebung Metall: *Runde Hügelformen, die leicht kugelig wirken, Metall-Abbaugebiete, Kuppeldächer, gewölbte und runde Formen an Bauwerken – oft monumentale Gebäude, Metall-Statuen, große Industrie-Tanks, Sternwarten, Riesenräder.*

Wo *Metall* auf *Metall* trifft, passiert nicht viel Spektakuläres, da nichts neues, belebendes dazukommt. Die meisten Häuser, die dem Element *Metall* entsprechen, gehören Banken, Versicherungen, politischen oder religiösen Vereinigungen. Geld wird in diesen Häusern immer ein Thema und ein Bestandteil der Weltanschauung sein, aber es ist kein ausgleichendes Element vorhanden, das über das Materielle hinausgehende Forderungen erheben würde – etwa ein soziales Gewissen, damit das erwirtschaftete Geld auch wieder verteilt werden könnte. Es ist eine Situation wie in einem Banksafe. Was vorhanden ist, das bleibt; es kommt kaum etwas dazu, aber es fließt auch nichts weg.

Ihr Haus: Element Metall/Umgebung Wasser

Umgebung Wasser: *Seen, Flüsse, Bäche, Teiche, Meer, unregelmäßige Hügel- und Bergketten, unregelmäßige Bauwerke und Bauten – oft in Wellenform, Bauten, die alle Elemente zu verkörpern scheinen, wobei aber keines richtig klar sichtbar ist, Glasfronten bei modernen Bürogebäuden, Wintergärten, wenn sie vorwiegend aus Glas sind.*

Metall ist flüssig wie *Wasser*. Im schöpferischen Zyklus nährt *Metall* das *Wasser*, und in dieser Kombination nährt Ihr Haus auch Ihre Umgebung. Im geschäftlichen Bereich bedeutet das, daß Sie Ihre Energie der Umgebung abgeben, und „Energie" bedeutet im Zusammenhang mit dem Element *Metall*, daß Ihr Geld abfließt. Daß dies kaum Ihr Ziel sein kann, liegt auf der Hand. Es sei denn, sie hätten ganz außergewöhnliche, idealistische Ziele. Karitative Unternehmen beispielsweise profitieren von dieser Kombination, denn sie geben spontaner und – im Zusammenhang mit dem Element *Wasser* (Kommunikation) – sicherlich auch bedeutend medienwirksamer ihr Geld für gute Zwecke. Auch religiöses Gedankengut, das so anhaltend wie möglich unter die Menschen gebracht werden soll, profitiert von dieser Standortkombination. Medienanstalten (Radio/TV/Presse) profitieren insofern, als auch Ihre Botschaften besser verbreitet werden, wobei sie allerdings auch Gefahr laufen, ein bißchen *zu* kämpferisch aufzutreten (*Metall* steht auch für Waffen = Kampf). Für alle diese Firmen und Organisationen, sofern sie den Gesetzen der Marktwirtschaft unterliegen, wäre es allerdings von Vorteil, wenn sich der Bereich, wo die Finanzen eingezogen und verwaltet werden, an einem anderen Standort befände.

Häuser, die dem Element Wasser entsprechen

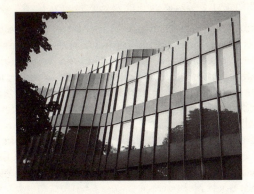

Ihr Haus: Element Wasser/Umgebung Holz

Umgebung Holz: *Wald und Bäume, Hochhäuser, hohe schlanke Gebäude, Berge, die rechts und links fast senkrecht abfallen, Säulen und Gebäude mit sehr vielen Säulen, Fabrikkamine, Laternenmasten, Obelisken, Minarette, Brücken- u. Autobahnpfeiler.*

Wasser nährt *Holz. Wasser* bedeutet Kommunikation, und *Holz* bedeutet Wachstum. Dies wiederum heißt, daß Ihr Haus die Fähigkeit hat, die Kommunikation und die Künste in den Vordergrund zu stellen und daß die Umgebung daran wachsen kann. Vereinfacht gesagt: Konzerthallen, Theaterhäuser oder Kultur- und Begegnungszentren sind begünstigt. Wenn Sie nun privat in einem solchen Haus wohnen, dann wundern Sie sich nicht länger, daß Ihre Wohnung mehr einem Begegnungszentrum als einer stillen Oase gleicht. Wenn Sie allerdings Ihre Freunde nicht missen möchten, Ihnen die vielen Besuche aber finanziell zur Belastung werden, könnte Ihnen das Element *Metall*, das für Geld steht, behilflich sein. Stellen Sie eine kleine Metallskulptur in jenen Raum, in dem man sich bei Ihnen trifft; es könnte die Besucher daran erinnern, auch mal ein kleines Entgelt für den umfangreichen Verpflegungsaufwand zu spendieren. Das tut einer guten Freundschaft sicherlich keinen Abbruch, aber es erleichtert, und ohne finanzielle Sorgen empfängt man die Freunde auch viel lieber.

Ihr Haus: Element Wasser/Umgebung Feuer

Umgebung Feuer: *Spitzige Berge und Bergketten, hohe, steile Dächer, Dächer mit spitzigen Winkeln, Kirchtürme, Pyramiden, Vulkane, Indianerzelte.*

Wasser löscht das *Feuer* aus. Wenn Sie nun in eine Gegend kommen, die dem Element *Feuer* entspricht, und Sie ein Haus darauf errichten, das dem Element *Wasser* entspricht, so zerstören Sie der gesamten Nachbarschaft das „Lebenselixier". Daß diese über kurz oder lang keine Freude daran haben werden, versteht sich von alleine. Zwar besiegt das *Wasser* letztlich immer das Feuer, aber Ihr Sieg wird nie zum Triumph, und Sie selber können vielleicht anfangs erfolgreich sein, aber langfristig wird man sich gegen Sie wenden. Falls Sie nun ein solches Haus besitzen, darin arbeiten oder ein Geschäft betreiben, das von den Leuten im Ort vielleicht schon gemieden wird, nehmen Sie doch das Element *Holz* zu Hilfe. *Holz* wird von der Farbe grün symbolisiert, also grüne Pflanzen und auch Bäume. Bevor Sie jedoch irgendwelche Bäume pflanzen, lesen Sie bitte die Kapitel „Die 5 Tiere" und „Sha". Weitere Hilfen können ein dicker Gartenzaun, eine Gartenbank sowie Gegenstände und Statuen bringen, sofern sie aus Holz sind.

Ihr Haus: Element Wasser/Umgebung Erde

Umgebung Erde: *Flache Felder, gerade, ebene Flächen, Wohnblocks – mehr breit als hoch, flache Bauten, Flachdachgebäude, gerade Straßen ohne Steigung, Garagen, Tunnels, Plätze. Ton- und Betonbauten beinhalten zumindest einen Bestandteil vom Element Erde.*

Erde verschmutzt das *Wasser*. Ihre Umgebung verschmutzt ihr Zuhause. Ob es sich auf dem direkten Weg (Umweltverschmutzung) oder im übertragenen Sinn (üble Nachreden/Feindseligkeiten/„Verschmutzung" des guten Rufes) auswirkt, keine Form ist für Sie positiv, weder privat noch geschäftlich. Damit Sie hier jedoch in Frieden weiterleben können, schließt das Element *Metall* den schöpferischen Zyklus wieder zu einer harmonischen Bahn. Wenn Ihnen das Haus bereits gehört, hilft ein schmiedeeisernes Tor oder ein Gartenzaun aus Metall. Auch eine Metallskulptur bringt ein harmonisches Element mit ein. Die Farbe von *Metall* ist Weiß, was für Hausfassaden sehr schmuck sein kann. Weiße Gardinen an den Fenstern und Metallskulpturen auf dem Fensterbrett harmonisieren ebenfalls die Situation.

Ihr Haus: Element Wasser/Umgebung Metall

Umgebung Metall: *Runde Hügelformen, die leicht kugelig wirken, Metall-Abbaugebiete, Kuppeldächer, gewölbte und runde Formen an Bauwerken – oft monumentale Gebäude, Metall-Statuen, große Industrie-Tanks, Sternwarten, Riesenräder.*

Metall ist flüssig wie *Wasser.* Im schöpferischen Zyklus entsteht *Wasser* aus *Metall,* eine ideale Kombination. *Metall* verkörpert Geld, und *Wasser* steht für Kommunikation. Diese Verbindung bedeutet, daß es Ihnen materiell an nichts fehlen wird, und daß im privaten Bereich die Familie alles miteinander bespricht, miteinander die musisch-künstlerischen Seiten pflegt und offen und ehrlich im Umgang ist. Im geschäftlichen Bereich wird es materiell ebenfalls an nichts fehlen, und die gute Kommunikation zu den Nachbarn und den Kunden verspricht eine glückliche Beziehung.

Ihr Haus: Element Wasser/Umgebung Wasser

Umgebung Wasser: *Seen, Flüsse, Bäche, Teiche, Meer, unregelmäßige Hügel- und Bergketten, unregelmäßige Bauwerke und Bauten – oft in Wellenform, Bauten, die alle Elemente zu verkörpern scheinen, wobei aber keines richtig klar sichtbar ist, Glasfronten bei modernen Bürogebäuden, Wintergärten, wenn sie vorwiegend aus Glas sind.*

Wasser steht für Kommunikation, die Künste und die Musik. Wenn Sie nun in einem Haus leben, in dem Sie von Kommunikation und Künsten innerlich wie äußerlich beeinflußt werden, wird dies spürbar auf Sie abfärben. *Wasser* hat keine feste Form, es steht somit auch für Flexibilität und die Fähigkeit, schnell Veränderungen zu akzeptieren oder herbeizuführen. Gewerblich ist diese Situation ideal, wenn ihr Geschäft in einem Bereich angesiedelt ist, wo ständig Neues, Besseres, Moderneres gefragt ist, wie beispielsweise in der Computerindustrie. Allerdings ist die Kombination (Haus und Umgebung = *Wasser*) relativ selten zu finden.

Teil 6

Ihre persönliche Standortbestimmung

Wir alle kennen unser Sternzeichen, und die meisten vermutlich auch den dazugehörigen Aszendenten.

Das Sternzeichen sagt (ganz vereinfacht ausgedrückt) aus, welche Veranlagungen, Talente und Neigungen einem Menschen mitgegeben wurden, und der Aszendent steht dafür, wie und in welcher Art der Mensch diese Veranlagungen im Alltag einsetzt und auslebt.

Wenn wir nun gleich unser persönliches Element ermitteln, entspricht dies in etwa unserem Sternzeichen, allerdings schon etwas genauer betrachtet, denn jedes chinesische Tierkreiszeichen (es entspricht nicht den Sonnenzeichen der westlichen Astrologie und wechselt nicht monatlich, sondern jährlich) wird Jahr für Jahr einem der 5 Elemente zugeordnet. Die Chinesen nennen die Kombination aus Tierkreiszeichen und Element den „Himmelsfaktor".

Unsere persönliche Feng-Shui-Zahl, die gleich anschließend folgt, könnte man in etwa dem Aszendenten gleichsetzen. Diese Zahl wird dann ihrerseits wieder einem Element zugeteilt.

So entsteht eine ganz interessante Situation: Wir ermitteln zunächst das Element, unter dem wir geboren wurden und das aussagt, was uns in die Wiege gelegt wurde. Anschließend ermitteln wir jenes Element, das darüber Auskunft gibt, in welcher Form wir die Dinge ausleben. Und damit können wir eine ganz phantastische persönliche Standortbestimmung erstellen, denn wir betrachten unsere eigenen Elemente im zyklischen Verlauf und erhalten so ein Spiegelbild unseres Seins.

Der Himmelsfaktor

Der chinesische astrologische Kalender

19.02.1901	Metall-Büffel		06.02.1951	Metall-Hase
08.02.1902	Wasser-Tiger		27.02.1952	Wasser-Drache
29.01.1903	Wasser-Hase		14.02.1953	Wasser-Schlange
16.02.1904	Holz-Drache		03.02.1954	Holz-Pferd
04.02.1905	Holz-Schlange		24.01.1955	Holz-Ziege
25.01.1906	Feuer-Pferd		12.02.1956	Feuer-Affe
13.02.1907	Feuer-Ziege		31.01.1957	Feuer-Hahn
02.02.1908	Erde-Affe		18.02.1958	Erde-Hund
22.01.1909	Erde-Hahn		08.02.1959	Erde-Schwein
10.02.1910	Metall-Hund		28.01.1960	Metall-Ratte
30.01.1911	Metall-Schwein		15.02.1961	Metall-Büffel
18.02.1912	Wasser-Ratte		05.02.1962	Wasser-Tiger
06.02.1913	Wasser-Büffel		25.01.1963	Wasser-Hase
26.01.1914	Holz-Tiger		13.02.1964	Holz-Drache
14.02.1915	Holz-Hase		02.02.1965	Holz-Schlange
03.02.1916	Feuer-Drache		21.01.1966	Feuer-Pferd
23.01.1917	Feuer-Schlange		09.02.1967	Feuer-Ziege
11.02.1918	Erde-Pferd		30.01.1968	Erde-Affe
01.02.1919	Erde-Ziege		17.02.1969	Erde-Hahn
20.02.1920	Metall-Affe		06.02.1970	Metall-Hund
08.02.1921	Metall-Hahn		27.01.1971	Metall-Schwein
28.01.1922	Wasser-Hund		15.02.1972	Wasser-Ratte
16.02.1923	Wasser-Schwein		03.02.1973	Wasser-Büffel
05.02.1924	Holz-Ratte		23.01.1974	Holz-Tiger
25.01.1925	Holz-Büffel		11.02.1975	Holz-Hase
13.02.1926	Feuer-Tiger		31.01.1976	Feuer-Drache
02.02.1927	Feuer-Hase		18.02.1977	Feuer-Schlange
23.01.1928	Erde-Drache		07.02.1978	Erde-Pferd
19.02.1929	Erde-Schlange		28.01.1979	Erde-Ziege
30.01.1930	Metall-Pferd		28.01.1980	Metall-Affe
17.02.1931	Metall-Ziege		05.02.1981	Metall-Hahn
26.01.1932	Wasser-Affe		25.01.1982	Wasser-Hund
26.01.1933	Wasser-Hahn		13.02.1983	Wasser-Schwein
14.02.1934	Holz-Hund		02.02.1984	Holz-Ratte
04.02.1935	Holz-Schwein		20.02.1985	Holz-Büffel
24.01.1936	Feuer-Ratte		19.02.1986	Feuer-Tiger
11.02.1937	Feuer-Büffel		29.01.1987	Feuer-Hase
31.01.1938	Erde-Tiger		17.02.1988	Erde-Drache
19.02.1939	Erde-Hase		06.02.1989	Erde-Schlange
08.02.1940	Metall-Drache		27.01.1990	Metall-Pferd
27.01.1941	Metall-Schlange		15.02.1991	Metall-Ziege
15.02.1942	Wasser-Pferd		04.02.1992	Wasser-Affe
05.02.1943	Wasser-Ziege		23.01.1993	Wasser-Hahn
25.01.1944	Holz-Affe		10.02.1994	Holz-Hund
13.02.1945	Holz-Hahn		31.01.1995	Holz-Schwein
02.02.1946	Feuer-Hund		19.02.1996	Feuer-Ratte
22.01.1947	Feuer-Schwein		07.02.1997	Feuer-Büffel
10.02.1948	Erde-Ratte		28.01.1998	Erde-Tiger
29.01.1949	Erde-Büffel		16.02.1999	Erde-Hase
17.02.1950	Metall-Tiger		05.02.2000	Metall-Drache

Das angegebene Datum entspricht dem Jahresanfang des astrologischen Jahres. Sie markiert den Beginn eines neuen Jahres. Anhand dieser Liste können Sie ablesen, welches Element Ihnen in die Wiege gelegt worden ist.

(Das chinesische Zeichen Büffel wird auch Ochse genannt, das Zeichen der Ratte heißt zuweilen Maus und das Zeichen Ziege wird manchmal auch mit Schaf übersetzt.)

Ihr persönliches Feng-Shui-Element

Zur Bestimmung Ihres persönlichen Feng-Shui-Elements müssen Sie Ihre persönliche Zahl ermitteln. Um Ihnen den mühsamen Exkurs in die Mathematik zu ersparen, habe ich Ihnen die Zahlen so weit wie möglich bereits ausgerechnet (M = Männer; F = Frauen):

Die Jahreszahl

Ab Datum:	Jahreszahl		Ab Datum:	Jahreszahl		Ab Datum:	Jahreszahl	
	M	F		M	F		M	F
04.02.1901	9	6	05.02.1928	9	6	04.02.1955	9	6
05.02.1902	8	7	04.02.1929	8	7	05.02.1956	8	7
05.02.1903	7	8	04.02.1930	7	8	04.02.1957	7	8
05.02.1904	6	9	05.02.1931	6	9	04.02.1958	6	9
04.02.1905	5	1	05.02.1932	5	1	04.02.1959	5	1
05.02.1906	4	2	04.02.1933	4	2	05.02.1960	4	2
05.02.1907	3	3	04.02.1934	3	3	04.02.1961	3	3
05.02.1908	2	4	05.02.1935	2	4	04.02.1962	2	4
04.02.1909	1	5	05.02.1936	1	5	04.02.1963	1	5
05.02.1910	9	6	04.02.1937	9	6	05.02.1964	9	6
05.02.1911	8	7	04.02.1938	8	7	04.02.1965	8	7
05.02.1912	7	8	05.02.1939	7	8	04.02.1966	7	8
04.02.1913	6	9	05.02.1940	6	9	04.02.1967	6	9
04.02.1914	5	1	04.02.1941	5	1	05.02.1968	5	1
05.02.1915	4	2	04.02.1942	4	2	04.02.1969	4	2
05.02.1916	3	3	05.02.1943	3	3	04.02.1970	3	3
04.02.1917	2	4	05.02.1944	2	4	04.02.1971	2	4
04.02.1918	1	5	04.02.1945	1	5	05.02.1972	1	5
05.02.1919	9	6	04.02.1946	9	6	04.02.1973	9	6
05.02.1920	8	7	04.02.1947	8	7	04.02.1974	8	7
04.02.1921	7	8	05.02.1948	7	8	04.02.1975	7	8
04.02.1922	6	9	04.02.1949	6	9	05.02.1976	6	9
05.02.1923	5	1	04.02.1950	5	1	04.02.1977	5	1
05.02.1924	4	2	04.02.1951	4	2	04.02.1978	4	2
04.02.1925	3	3	05.02.1952	3	3	04.02.1979	3	3
04.02.1926	2	4	04.02.1953	2	4	05.02.1980	2	4
05.20.1927	1	5	04.02.1954	1	5			

Die Monatszahl

Ihr Geburtsdatum liegt zwischen dem:	so lautet Ihre Monatszahl:
5. Februar und 4. März	1
5. März und 3. April	2
4. April und 4. Mai	3
5. Mai und 4. Juni	4
5. Juni und 6. Juli	5
7. Juli und 6. August	6
7. August und 6. September	7
7. September und 8. Oktober	8
9. Oktober und 6. November	9
7. November und 6. Dezember	10
7. Dezember und 4. Januar	11
5. Januar und 4. Februar	12

Die persönliche Feng-Shui-Zahl

Nun kommen wir langsam dem Ziel, der persönlichen Feng-Shui-Zahl, näher. Sie haben nun eine Jahreszahl und eine Monatszahl und nachfolgend je eine Tabelle für Männer und eine Tabelle für Frauen. Suchen Sie die Schnittstelle Ihrer beiden Zahlen, und Sie haben die persönliche Feng-Shui-Zahl gefunden.

Für Männer

Jahreszahl	Monatszahl											
	1	2	3	4	5	6	7	8	9	10	11	12
1	8	7	6	5	4	3	2	1	9	8	7	6
2	2	1	9	8	7	6	5	4	3	2	1	9
3	5	4	3	2	1	9	8	7	6	5	4	3
4	8	7	6	5	4	3	2	1	9	8	7	6
5	2	1	9	8	7	6	5	4	3	2	1	9
6	5	4	3	2	1	9	8	7	6	5	4	3
7	8	7	6	5	4	3	2	1	9	8	7	6
8	2	1	9	8	7	6	5	4	3	2	1	9
9	5	4	3	2	1	9	8	7	6	5	4	3

Für Frauen

Jahreszahl	Monatszahl											
	1	2	3	4	5	6	7	8	9	10	11	12
1	7	8	9	1	2	3	4	5	6	7	8	9
2	4	5	6	7	8	9	1	2	3	4	5	6
3	1	2	3	4	5	6	7	8	9	1	2	3
4	7	8	9	1	2	3	4	5	6	7	8	9
5	4	5	6	7	8	9	1	2	3	4	5	6
6	1	2	3	4	5	6	7	8	9	1	2	3
7	7	8	9	1	2	3	4	5	6	7	8	9
8	4	5	6	7	8	9	1	2	3	4	5	6
9	1	2	3	4	5	6	7	8	9	1	2	3

Ihre Zahl und das passende Element

Ihre persönliche Zahl	Ihr Feng-Shui-Element	Ihre Himmelsrichtung
1	Wasser	Norden
2	Erde	Südwesten
3	Holz	Osten
4	Holz	Südosten
5 (Männer)	Erde	Nordosten
5 (Frauen)	Erde	Südwesten
6	Metall	Nordwesten
7	Metall	Westen
8	Erde	Nordosten
9	Feuer	Süden

Diese Tabelle beinhaltet 10 Zeilen, wir kennen jedoch nur 8 Himmelsrichtungen. Aus diesem Grund finden Sie eine Doppelbelegung beim Element Erde.

Sie und Ihr Haus

Nachdem Sie nun alles über Ihre Nachbarschaft wissen (zumindest, was das Feng Shui betrifft) kommt der nächste große Schritt. Während die Beziehung Ihres Hauses zur Nachbarschaft (den benachbarten Häusern und Landschaften) die Qualität der äußeren Harmonie verkörpert, betrifft Ihre persönliche Beziehung zum Haus mehr den inneren Bereich; sie wird zur Grundlage Ihrer Wohnqualität.

Wenn Sie nun Ihr persönliches Feng-Shui-Element dem Haus-Element gegenüberstellen, können wiederum 25 Situationen entstehen.

Ich werde diese nicht mehr so detailliert erläutern wie die Situation bezüglich der Nachbarschaft, denn im Inneren des Hauses sind andere Faktoren noch wesentlich wirksamer als die Elemente. Allerdings ist auch dieser Bereich ein Teil des Ganzen und sollte deshalb nicht unter den Tisch fallen. Hier nun eine Auflistung der hervorragenden, der guten und der schlechten Konstellationen im Zusammenleben der „Teamkollegen" Mensch und Haus. Ihr Wissen über die Elemente und über die diesbezügliche Denkweise der Chinesen, die Sie bei meiner Schilderung der 25 Grundvarianten ausführlich studieren konnten, wird Ihnen helfen, das hier nur etwas „trocken" tabellarisch Angedeutete mit Leben zu erfüllen.

Schöpferischer Zyklus:
das Haus unterstützt den Menschen, optimale Situation

Mensch: Feuer	Haus: Holz
Mensch: Erde	Haus: Feuer
Mensch: Metall	Haus: Erde
Mensch: Wasser	Haus: Metall
Mensch: Holz	Haus: Wasser

Hier entfaltet sich der schöpferische Zyklus in vollem Umfang, das Haus nährt den Menschen, gibt ihm Kraft und Stärke. Wichtige Anmerkung: Wohnhäuser im Element Metall sind nie sehr günstig, da im familiären Bereich andere Werte vorrangig sein sollten als Geld.

Schöpferischer Zyklus:
der Mensch unterstützt das Haus, gute Situation

Mensch: Holz	Haus: Feuer
Mensch: Feuer	Haus: Erde
Mensch: Erde	Haus: Metall
Mensch: Metall	Haus: Wasser
Mensch: Wasser	Haus: Holz

Ihr Element steht im schöpferischen Zyklus *vor* dem Element des Hauses. Zwar gibt hier der Mensch seinem Haus mehr, als er zurück bekommt, aber normalerweise tut er es gerne, und es ist trotzdem eine sehr harmonische Verbindung.

Zerstörerischer Zyklus:
der Mensch wirkt negativ auf das Haus

Wenn der schöpferische Zyklus geschlossen wird, entsteht wieder eine harmonische Ausgangslage, auch wenn der Mensch der gebende und das Haus der nehmende Teil ist (*Lösungsvorschläge in Schrägschrift gedruckt*).

Mensch: Holz   Haus: Erde
Feuer ist das vermittelnde Element. Rote Blumen, rote Farbe, rote Vorhänge und rote Möbel.

Mensch: Feuer   Haus: Metall
Erde schließt den Zyklus, und die Farbe von Erde ist Gelb. Gelbe Vorhänge, gelbes Mobiliar und natürlich auch gelbe Blumen.

Mensch: Erde   Haus: Wasser
Metall mit seiner weißen Farbe, Ziergegenstände aus Metall, Mobiliar mit Metall-Einsätzen helfen, den Zyklus wieder zu schließen.

Mensch: Metall   Haus: Holz
Wasser schließt den Zyklus. Zimmerbrunnen, Aquarien und die Farbe Schwarz helfen, die Harmonie wieder herzustellen.

Mensch: Wasser   Haus: Feuer
Hier verbindet das Element Holz. Eine Fülle von Möglichkeiten steht Ihnen zur Verfügung. Die

Farbe Grün umfaßt beinahe die gesamte Pflanzenwelt, und zudem harmonisieren alle Möbel aus Holz die Situation.

Zerstörerischer Zyklus:
das Haus wirkt negativ auf den Menschen

Auch hier wird der schöpferische Zyklus wieder geschlossen, und zwar mit dem Element dazwischen, das fehlt. Ist dieser Ausgleich geschaffen, entsteht fast die gleiche ideale Situation wie bei der „bestmöglichen Voraussetzung" (Haus unterstützt den Menschen).

Mensch: Holz

Haus: Metall
Wasser schließt den Zyklus, Schwarze Wohnaccessoires, ein Zimmerbrunnen, Wasserbehälter und Aquarien verhelfen zur Harmonie.

Mensch: Feuer

Haus: Wasser
Hier hilft Holz, den Kreislauf zu harmonisieren. Von Möbeln aus Holz bis zu allen grünen Pflanzen, eine Fülle von Möglichkeiten steht zur Verfügung.

Mensch: Erde

Haus: Holz
Geben Sie Ihrem Haus Feuer in Form von roten Blumen, roter Farbe oder sogar roten Vorhängen oder Möbeln. Die Dreiecksform kann sehr riskant sein in der Anwendung, bitte nehmen Sie davon Abstand.

Mensch: Metall

Haus: Feuer
Erde schließt den Zyklus, und die Farbe von Erde ist Gelb. Auch hier bietet die Pflanzenwelt hervorragende Möglichkeiten, denn viele Blumen sind gelb. Für die langen Winter empfehlen sich allerdings gelbe Dekorationsartikel, gelbe Vorhänge, gelbes Mobiliar, denn Feuer bezwingt immer das Metall.

Mensch: Wasser

Haus: Erde
Hier braucht Ihr Haus Metall, damit der schöpferische Zyklus wieder geschlossen wird. Metallstatuen, Mobiliar mit Metallzusätzen, Metallschalen, und natürlich hilft auch die Farbe Weiß.

Patt-Situation:
der Mensch und sein Haus haben das gleiche Element

Mensch: Holz	Haus: Holz

Sehr gute, sehr angenehme Situation.

Mensch: Feuer — Haus: Feuer

Ein bißchen viel Hitze, für eine kurze Wohndauer aber sehr belebend.

Mensch: Erde — Haus: Erde

Äußerst stabil, aber die Wohnung, ebenso wie Sie selbst, könnte unter Langeweile leiden.

Mensch: Metall — Haus: Metall

Für ein Wohnhaus nicht ideal, da sich das private Ambiente nicht durchsetzen kann. Hauptthema bleibt Geld.

Mensch: Wasser — Haus: Wasser

Seltene Kombination, aber nur dann ideal, wenn Sie Kommunikation, Künste und viele schnelle Veränderungen lieben.

Die 5 Elemente und die Gesundheit

Wie Sie bereits bei der Vorstellung der einzelnen Elemente gesehen haben, werden auch Organe und gesundheitliche Faktoren den jeweiligen Elementen zugeordnet. Da unsere Gesundheit für unser Wohlbefinden von größter Bedeutung ist, möchte ich das Thema kurz streifen und Ihnen anhand dieser Tabelle einen einfachen Überblick bieten, der Ihnen vielleicht irgendwann einmal von großem Nutzen sein kann. Nachfolgend finden Sie zu jedem Organ noch einige Stichworte, die Ihnen helfen werden, die Funktionen der einzelnen Organe besser zu verstehen.

Unsere Organe und die 5 Elemente

	Holz Leber	Feuer Herz	Erde Milz	Metall Lunge
Ist gekoppelt mit:	Galle	Dünndarm	Magen	Dickdarm
Spiegelt sich in:	Auge	Zunge	Lippe	Nase
Hat Bezug zu:	Sehen	Geist	Muskeln	Haut
Negativer Sammelpunkt:	Rechter Unterbauch	Mitte Brustbein	Nabel	Linker Unterbauch
Eigenschaften und Funktionen	Blutspeicherung Reinigung Stärkt Herz Entlastet Milz	Durchwärmung Kräftigt Lunge und Milz Stärkt Geist	Unterstützt Wasserkreislauf, Regeneration, Ernährung	Stärkt Abwehr Säubert den Körper Reguliert die Leber Stärkt Niere

Die **Leber** speichert bis zu 30 % unseres Blutes, entgiftet unseren Körper und sorgt dafür, daß die Schlackenstoffe ausgeschieden werden. Zudem stellt sie Eiweißkörper her, die zur Zellerneuerung dienen.

Das **Herz** und der Blutkreislauf wärmen den Körper und stärken unsere körperlichen wie geistigen Kräfte. Je stärker wir sind, desto aufrechter können wir gehen.

Die **Milz** stärkt das Bindegewebe, hält die Organe in Position und sorgt für die Zellerneuerung. Zudem unterstützt sie die Niere bei unserem Körper-Wasserhaushalt und ist ein wichtiges Ernährungsorgan.

Die **Lunge** reinigt unsere Atemluft von den vielen Bakterien, die wir einatmen. Durch unsere Atmung werden alle unsere Zellen mit Sauerstoff versorgt, die Grundvoraussetzung dafür, daß sie existieren können. Auch im geistigen Sinne steht die Lunge für Reinigung und Sauberkeit.

Die **Niere** steht am Ende der Stoffwechselprozesse und scheidet die überflüssigen Stoffe in Richtung Blase aus. Sie ernährt auch unsere Knochen, ohne die wir nicht gehen könnten. Sie sorgt dafür, daß sich in unserem Körper kein Stau bildet.

Schlußwort

Nun ist das Buch zu Ende, und ich hoffe, daß es Ihnen gefallen hat. Ich möchte mich mit den Worten „Gutes Feng Shui" verabschieden. Noch mehr und noch Besseres kann ich Ihnen nicht mehr wünschen, denn eine Steigerung gibt es nicht. Es hat mir viel Freude bereitet, dieses Buch zu schreiben, hoffentlich konnte ich Ihnen etwas mit auf dem Weg geben, das Ihr Herz für jetzt und die Zukunft erfreut.

Brigitte Gärtner

Was immer Sie tun ...

Wieviel Sie auch über Feng Shui wissen mögen, Sie werden immer wieder den drei folgenden Grundherausforderungen begegnen:
1. Das Gleichgewicht der 5 Elemente und der 5 Tiere herzustellen (dies wird auch als die *Formenlehre* bezeichnet).
2. Die positive Energie (Chi) zu verstärken oder die negative Energie (Sha) auszuschalten bzw. abzuwenden.
3. Das Pa-Kua, die symbolische Aufteilung einer Fläche in Lebensbereiche zu berücksichtigen.

... und was immer Sie jetzt auch lassen möchten ...

Es gibt Wohnungen und Geschäfte, bei denen stimmt – aus Sicht von Feng Shui – beinahe gar nichts oder nur so wenig, daß man zuerst gar nicht weiß, an welchem Ende man überhaupt beginnen soll.

Erstaunlicherweise haben die Bewohner das bereits soweit in Ihr Bewußtsein integriert, daß daraus ein klassischer Standardspruch entstanden ist: „*Das hier ist nur eine Übergangslösung, sobald wir eine geeignete Wohnung haben, ziehen wir um.*" Doch das Leben hat nun einmal gezeigt, daß solche „Übergangslösungen" sehr oft 2 bis 5 Jahre oder länger Bestand haben – eine lange Zeit, eine *viel zu* lange Zeit, um in den eigenen vier Wänden mehr zu vegetieren als darin zu leben.

Auch wenn zuerst vieles gegen den Erfolg spricht, jede auch noch so kleine positive Veränderung ist ein Schritt in die richtige Richtung. Wenn Sie jene „Übergangslösung" so weit verändert haben werden, daß die Räume nach Feng Shui „erwachen", dann kann es geschehen, daß Sie Ihr heute noch mißachtetes und gering geschätztes Zuhause so lieb gewinnen, daß Sie gar nicht mehr ausziehen möchten. Sollte allerdings doch einmal der Tag X kommen, an dem Sie ein neues Zuhause einweihen, dann wird garantiert mindestens ein weinendes Auge auf die zum Leben erwachte alte Wohnung zurückblicken.

Sollten Sie nach der Lektüre dieses Buches entdeckt haben, daß Sie auch ohne Feng-Shui-Kenntnisse aus dem Gefühl heraus völlig richtig eingerichtet haben, dann dürfen Sie sich getrost kräftig auf die Schulter klopfen. Sie haben die wohltuende Wirkung von Feng Shui gelebt, bevor Sie wußten, daß es dafür einen Namen gibt. Doch wahrscheinlich werden Sie auch Mängel an allen Ecken und Enden entdecken und in Gedanken nach neuen Formen der Einrichtung Zuhause und bei der Arbeit suchen. Schlafen Sie über jede neue Idee eine Nacht durch, wenn Sie am nächsten Tag noch davon begeistert sind, steht „einem fröhlichen Möbelrücken" nichts mehr im Wege. Wenn Sie erst einmal mit dem bewußten Einsatz von Feng Shui begonnen haben, wird es Ihnen vermutlich so ergehen wie schon Tausenden vor Ihnen (inklusive mir selbst). Es macht Spaß, es bringt Freude, die Arbeit fällt um vieles leichter und es tut gut – so gut, daß Sie sich allen Ernstes fragen, wieso Sie nicht schon viel früher damit angefangen haben.

Über die Autorin

Brigitte Gärtner

Laotse gab ihr die Flügel und ein tibetischer Mönch bereitete den Landeplatz. Das Ergebnis: Ein Kopf in den Wolken mit Füßen auf dem Boden. Eine tiefe Verwurzelung im Asiatischen, Meditation, Ästhetik und die Fünf Elemente sind Teil ihres 37 Jahre alten Lebens, ausgefüllt mit Buchhandel, Pendel-Seminaren sowie harmonie- und erlebnisorientierten Feng-Shui-Beratungen.

Adressen und Bezugsquellen

Dieses Buch ist aus meiner täglichen Erfahrung im Umgang mit dem Spiel der Energien entstanden. Zudem habe ich viele der Fragen, die immer wieder in Vorträgen, auf Seminaren und in persönlichen Beratungen vor Ort an mich gestellt werden, mit diesem Buch beantwortet.

Trotzdem bin ich mir bewußt, daß immer wieder neue Fragen und Herausforderungen aus der ganz persönlichen Lebens- und Wohnsituation heraus entstehen, bei denen man gerne Rat und Unterstützung hätte.

Aus diesem Grunde möchte ich Ihnen anbieten, daß Sie sich mit Ihren Fragen an mich wenden können. Einerseits gebe ich laufend Vorträge und Ausbildungskurse zu Feng-Shui, aber auch Pendelseminare (das Pendeln ist ebenfalls eine ausgezeichnete Möglichkeit, Energien im Raum zu bewerten), darüber hinaus können Sie mich für persönliche Beratungen konsultieren.

Wenn Sie an den Windpferd Verlag schreiben, erhalten Sie eine Liste mit meinen Vortrags- und Kursterminen sowie Informationen über persönliche Beratungsmöglichkeiten. Bitte sind Sie so nett, Ihrem Schreiben einen adressierten und frankierten Rückumschlag beizulegen.

Windpferd Verlag
Stichwort: „Wenn Räume erwachen"
Postfach
D-87648 Aitrang

Mehr Informationen über weitere Bücher zum Thema sowie das gesamte Windpferd-Programm und viele Extras finden Sie im Internet unter **www.windpferd.com**. Unter dieser Adresse finden Sie auch ein Esoterik-Chat-Forum. Hier können Sie mit an einschlägigen Themen interessierten Mitmenschen Kontakt aufnehmen und aktuelle Themen diskutieren. Außerdem die neueste Windpferd Musik anhören oder Ihren Biorhythmus errechnen ... und vieles mehr.

Feng Shui Artikel

Regenbogen-Kristalle
100% frei von Blei

Original chinesische Feng-Shui Artikel aus ausschliesslich reinem Kristallglas, das keine Schwere in den Raum zieht. Glatte und geschliffene Kugeln sind von 60 bis 200 mm erhältlich und zahlreiche Hänger für die Fenster stehen zu Ihrer Auswahl.

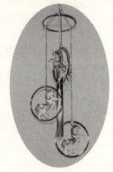

Windglockenspiele

Ab 8,5 cm Grösse sind bereits Mini-Windglockenspiele in 4 Farben erhältlich. Über 20 Modelle mit Delphinen, Engeln, Einhörnchen, Schmetterlingen, Elfen sowie in Holz können wir Ihnen zur Auswahl anbieten.

Pa-Kua-Spiegel

Pa-Kua-Spiegel für das Zuhause, im klassischen Stil über die Rückseite nach Vorne beschriftet, Text mit Trigrammen, chinesischem und deutschem Text. Perfekte, schöne und elegante Ausführung und Verarbeitung. 2 Modelle in je 2 Farben stehen Ihnen zur Auswahl.

Sie erhalten bei uns ausschliesslich ausgewählte, geprüfte und kontrollierte Feng-Shui-Artikel.

Fragen Sie Ihr Esoterik-Fachgeschäft oder schreiben Sie an:

Schweiz	Deutschland
HKP Zürich	**HKP – Im Licht**
Binzmühlestrasse 81	Brunnenstrasse 46
8050 Zürich	34537 Bad Wildungen
Tel. 01-318 18 09, Fax 01-318 18 10	Tel.05621 960 310, Fax 05621 960 311

Der Fachhandel wird selbstverständlich direkt beliefert.

Ein umfassendes Handlese-Kompendium

DM 19,80/SFr 19,00/ÖS 145,00
112 Seiten, ISBN 3-89385-195-X

DM 19,80/SFr 19,00/ÖS 145,00
128 Seiten, ISBN 3-89385-197-6

DM 19,80/SFr 19,00/ÖS 145,00
128 Seiten, ISBN 3-89385-196-8

Autor Werner Giessing ist ein Meister seines Metiers. Seit über zwanzig Jahren berät er Persönlichkeiten aus allen Lebensbereichen. Sobald er eine Hand sanft in die seine legt, beginnt er wie in einem offenen Buch zu lesen, das man so bislang nur selbst zu kennen glaubte.

Sein enormes Wissen und seine umfassende Erfahrung sind in einer Reihe von fünf Themenbänden zusammengeflossen. Jedes dieser Bücher steht für sich allein – und alle zusammen ergeben ein komplettes Handlese-Kompendium, das alle Möglichkeiten dieser hohen Kunst auslotet.

DM 19,80/SFr 19,00/ÖS 145,00
128 Seiten, ISBN 3-89385-198-4

DM 19,80/SFr 19,00/ÖS 145,00
128 Seiten, ISBN 3-89385-185-2

Wilhelm Gerstung · Jens Mehlhase
Das große Feng-Shui Gesundheitsbuch

Wie Sie sich vor schädlichen Energien schützen und sich einen idealen Schlafplatz schaffen können · So bringen Sie mehr Qi in ihr Haus

Über 5000 Jahre reicht die chinesische Kunst des Feng Shui zurück. Heute weiß man: die unsichtbaren Energien wirken direkt auf unsere Gesundheit und unser Wohlbefinden. Die Autoren zeigen, wie sich die unsichtbaren Energien des Feng Shui mit dem Biotensor (Einhandrute) oder Pendel auch ganz direkt messen und bewerten lassen. Dabei wird offensichtlich, daß sich viele Gesundheitsprobleme erklären und auf gestörte Energien zurückführen lassen. In diesem Buch erfahren Sie, wie man die Belastung des Schlafplatzes ermittelt – und mit welchen Mitteln und Wegen die Qualität des Schlafplatzes unmittelbar verbessert werden kann.

280 Seiten, DM 29,80, SFr 27,50
ÖS 218,00   ISBN 3-89385-218-2

Roland Stenglin
Das Mandala der Donnerdrachen

Ein außergewöhnliches Erlebnisspiel

Ein Buch voller phantastischer Geheimnisse und Aufgaben, die es zu lösen gilt. Dieses abenteuerliche Erlebnisspiel entführt in das kleine Königreich Bhutan – denn einer alten Prophezeiung zufolge liegt im Himalaya der Schlüssel zur Rettung der Menschheit. Dabei werden Sie, lieber Leser, zur Hauptfigur und entscheiden selbst den Verlauf der Geschichte.
Sie können bestimmen, welche Erfahrungen Sie im Rahmen der Handlung machen möchten. Wie Sie sich auch entscheiden – Sie werden mit Erkenntnissen belohnt, die «Das Mandala der Donnerdrachen» bereithält. Welchen Weg Sie auch nehmen, es wird den Fortgang Ihrer eigenen Geschichte beeinflussen.

480 Seiten, DM 46,00, SFr 42,50
ÖS 336,00   ISBN 3-89385-169-0

Lise Bourbeau

Höre – auf Deinen besten Freund – auf Deinen Körper

Spirituelle Ursachen von Konflikten, Krankheiten und Unfällen · Alarmsignale frühzeitig entschlüsseln

Krankheiten sind Alarmsignale der Seele. Diese Signale rechtzeitig wahrzunehmen und zu deuten, kann bisweilen sogar lebensrettend sein. Deshalb ist es so wichtig, zu erkennen, was tatsächlich in unserem Körper, unserer Gefühlswelt und in unserem Geist vorgeht. Sobald wir die Botschaft entschlüsselt haben, öffnen sich die Grenzen und unendliche Möglichkeiten zur persönlichen Entwicklung tun sich auf. Dieses Buch ist ein praktischer Begleiter und eine wertvolle Hilfe für all jene, die ihre innere Suche beginnen oder fortführen wollen. Lise Bourbeau ist eine ebenso populäre wie erfolgreiche kanadische Bestsellerautorin. Sie gibt international Seminare zu den Themen ihrer Bücher.

216 Seiten, DM 24,80, SFr 23,00
ÖS 181,00   ISBN 3-89385-224-7

John Kehoe

Die Geheimnisse inneren und äußeren Reichtums

Das Erfolgs-Handbuch für ein in jeder Beziehung reichhaltiges Leben

John Kehoe hat die Erfolge vieler erfolgreicher Männer und Frauen studiert und analysiert und beschreibt die teilweise verblüffend einfachen Geheimnisse ihres Erfolges. Klar, präzise und anschaulich zeigt John Kehoe auf, daß der Schlüssel zu Erfolg, Reichtum und einem erfüllten Leben im Menschen selbst liegt, an der Art und Weise, wie er sein Leben meistert und seine Visionen umzusetzen versteht. Man muß es nur wollen.
Dann kann unser Leben mit diesem Buch eine deutliche Wendung nehmen.

192 Seiten, DM 16,80, SFr 16,00
ÖS 123,00   ISBN 3-89385-069-4

Folgende Reiseführer sind bereits erschienen:

DM 19,80/SFr 19,00/ÖS 145,00
184 Seiten, ISBN 3-89385-192-5

DM 19,80/SFr 19,00/ÖS 145,00
176 Seiten, ISBN 3-89385-193-3

DM 19,80/SFr 19,00/ÖS 145,00
184 Seiten, ISBN 3-89385-207-7

DM 19,80/SFr 19,00/ÖS 145,00
176 Seiten, ISBN 3-89385-191-7

DM 19,80/SFr 19,00/ÖS 145,00
192 Seiten, ISBN 3-89385-190-9

Die folgenden Bände erscheinen im
Frühjahr 1998:
Saarland und Rheinland-Pfalz
Berlin und Brandenburg
Sachsen-Anhalt
Thüringen

Herbst 1998:
Sachsen
Mecklenburg-Vorpommern
Schleswig-Holstein, Hamburg und Bremen